JUSTIÇA DIVINA

Francisco Cândido Xavier

JUSTIÇA DIVINA

Estudos e dissertações em torno da substância religiosa
de *O céu e o inferno*, de Allan Kardec

Pelo Espírito
Emmanuel

Copyright © 1962 by
FEDERAÇÃO ESPÍRITA BRASILEIRA – FEB

14ª edição – 14ª impressão – 1,2 mil exemplares – 9/2025

Revisado de acordo com a edição definitiva (1ª edição/1962).

ISBN 978-85-7328-716-5

Todos os direitos reservados. Nenhuma parte desta publicação pode ser reproduzida, armazenada ou transmitida, total ou parcialmente, por quaisquer métodos ou processos, sem autorização do detentor do *copyright*.

FEDERAÇÃO ESPÍRITA BRASILEIRA – FEB
SGAN 603 – Conjunto F – Avenida L2 Norte
70830-106 – Brasília (DF) – Brasil
www.febeditora.com.br
editorial@febnet.org.br
+55 61 2101 6161

Pedidos de livros à FEB
Comercial
Tel.: (61) 2101 6161 – comercial@febnet.org.br

Adquirindo esta obra, você está colaborando com as ações de assistência e promoção social da FEB e com o Movimento Espírita na divulgação do Evangelho de Jesus à luz do Espiritismo.

Dados Internacionais de Catalogação na Publicação (CIP)
(Federação Espírita Brasileira – Biblioteca de Obras Raras)

E54j   Emmanuel (Espírito)

   Justiça divina: estudos e dissertações em torno da substância religiosa de *O céu e o inferno*, de Allan Kardec / pelo Espírito Emmanuel; [psicografado por] Francisco Cândido Xavier. – 14. ed. – 14. imp. – Brasília: FEB, 2025.

   216 p.; 21cm – (Coleção Estudando a Codificação)

   Inclui índice geral

   ISBN 978-85-7328-716-5

   1. Kardec, Allan, 1804–1869. 2. O céu e o inferno. 3. Espiritismo. 4. Obras psicografadas. I. Xavier, Francisco Cândido, 1910–2002. II. Federação Espírita Brasileira. III. Título. IV. Coleção.

CDD 133.93
CDU 133.7
CDE 80.03.00

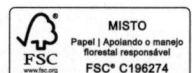

Sumário

Ante Allan Kardec 9
1 Bom combate 13
2 Hoje ainda 15
3 Não furtar 19
4 Virtude solitária 21
5 Espiritismo explicando 23
6 Faltas 27
7 Infinito amor 29
8 Merecimento maior 31
9 Caídos 33
10 Viverás para sempre 35
11 Culpa e reencarnação 37
12 Nas leis do amor 39
13 De ânimo firme 41
14 Quitação 43
15 Cada existência 45
16 Na escola da vida 47
17 Exames 49
18 Sabes disso 51
19 Omissão 53
20 Missões 55
21 Pai 57
22 Em oração e serviço 59
23 Na luz da reencarnação 63
24 Céu 65
25 Viajantes 67

26	No campo do espírito	69
27	Nos círculos da fé	71
28	Bem-aventurados	73
29	Oração na festa das mães	75
30	Diante da Lei	77
31	Melhorar	79
32	Previdência	81
33	Problema conosco	83
34	Lugar depois da morte	85
35	Palavras de esperança	87
36	Lei do mérito	89
37	Aprender e refazer	91
38	Pessoalmente	93
39	Ora e serve	95
40	Divino amparo	97
41	Bem de todos	99
42	Desligamento do mal	101
43	Corrigir e pagar	103
44	Divina presença	105
45	Penas depois da morte	107
46	Tarefas humildes	109
47	Perdoados, mas não limpos	111
48	Doenças da alma	113
49	Por nós mesmos	115
50	Bem que nos falta	117
51	Nas leis do destino	119
52	Ante os Mundos Superiores	123
53	Compromissos em nós	125
54	Na lei do bem	129
55	O lugar do Paraíso	131

56	Invocações	133
57	Purgatório	135
58	Precisamente	137
59	Nós todos	139
60	Desencarnados em trevas	143
61	Céu e Inferno	147
62	Espíritas diante da morte	149
63	Fogo mental	153
64	Jornada acima	155
65	Diante do amanhã	157
66	Sentenciados	159
67	Falibilidade	161
68	Ante os Espíritos puros	165
69	Espíritos transviados	167
70	No grande adeus	169
71	Sirvamos sempre	171
72	Corações venerados	175
73	Experiência religiosa	177
74	Contrassensos	181
75	Crenças	183
76	Anjos desconhecidos	185
77	Lugares de expiação	187
78	Tarefas	189
79	Compaixão e justiça	191
80	Na luz da justiça	193
81	Evolução e livre-arbítrio	195
82	Diante do tempo	199
Índice geral		201

Ante Allan Kardec

Perante as rajadas do materialismo a encapelarem o oceano da experiência terrestre, a Obra Kardequiana assemelha-se, incontestavelmente, à embarcação providencial que singre as águas revoltas com segurança. Por fora, grandes instituições que pareciam venerandos navios estalam nos alicerces, enquanto esperanças humanas de todos os climas, lembrando barcos de todas as procedências, se entrechocam na fúria dos elementos, multiplicando as aflições e os gritos dos náufragos que bracejam nas trevas.

De que serviria, no entanto, a construção imponente se estivesse reduzida à condição de recinto dourado para exclusivo entretenimento de alguns viajantes, em tertúlias preciosas, indiferentes ao apelo dos que esmorecem no caos?

Prevenindo contra semelhante impropriedade, os sábios instrutores que escreveram a *Introdução* de *O livro dos espíritos*[1] disseram claramente a Allan Kardec: "Mas todos os que tiverem em vista o grande princípio de Jesus se confundirão num só sentimento: o do amor do bem e se unirão por um laço fraterno que prenderá o mundo inteiro".

---

[1] Nota do autor espiritual: *Prolegômenos* de *O livro dos espíritos*.

Indubitavelmente, a obra espírita é a embarcação acolhedora, consagrada ao amor do bem. Urge, desse modo, que os seus tripulantes felizes não se percam nos conflitos palavrosos ou nas divagações estéreis.

Trabalhemos, acendendo fachos de raciocínio para os que se debatem nas sombras.

Todos concordamos que Allan Kardec é o apóstolo da renovação humana, cabendo-nos o dever de dar-lhe expressão funcional aos ensinos, com a obrigação de repartir-lhe a mensagem de luz entre os companheiros de Humanidade.

Assim crendo, traçamos os despretensiosos comentários contidos neste volume, em torno das instruções relacionadas no livro *O céu e o inferno*, valendo-nos das 82 reuniões públicas de estudo da Comunhão Espírita Cristã, em Uberaba, Minas Gerais, no decurso de 1961, dando continuidade à tarefa de consultar a essência religiosa da Codificação Kardequiana,[2] com vistas à nossa própria responsabilidade, diante do Espiritismo em sua feição de Cristianismo Redivivo.

Entregando, pois, estas páginas aos leitores amigos, não temos a presunção de inovar as diretrizes espíritas e sim o propósito sincero de reafirmar-lhes os conceitos, para facilitar-nos o entendimento, na certeza de que outros companheiros com-

---

[2] Nota do autor espiritual: Pertencem a esta série de estudos os livros *Religião dos espíritos*, *Seara dos médiuns* e *O espírito da verdade*. Qual aconteceu com os dois primeiros, todos os comentários deste livro foram psicografados nas reuniões públicas das noites de segundas e sextas-feiras da Comunhão Espírita Cristã em Uberaba. Os textos para estudo foram escolhidos pelos companheiros encarnados que compareceram às reuniões e, em seguida às apreciações expendidas por eles mesmos, alinhávamos os apontamentos aqui expressos, sendo de observar-se que, em alguns casos, fomos impelidos a separar-nos do tema proposto à vista de circunstâncias ocorridas nas tarefas em andamento. Algumas das páginas que se configuram neste volume foram publicadas em *Reformador*, acatado mensário da Federação Espírita Brasileira, e no jornal *A Flama Espírita*, de Uberaba, explicando, porém, de nossa parte, que, ao fixar aqui as nossas humildes anotações, na ordem cronológica em que foram escritas, no transcurso de 1961, e na relação das questões e respectivos parágrafos que o livro *O céu e o inferno* propunha aos nossos estudos, efetuamos pessoalmente a revisão integral de todas elas, considerando a apresentação do conjunto.

parecerão no serviço interpretativo da palavra libertadora de Allan Kardec, suprindo-nos as deficiências no trato do assunto com mais amplos recursos em louvor da verdade para a nossa própria edificação.

EMMANUEL

Uberaba (MG), 20 de março de 1962.

1
Bom combate

*Reunião pública de 20/1/61,
1ª parte, capítulo 5, item 6*

Voltando à Pátria Espiritual, depois da morte, estamos frequentemente na condição daquele filho pródigo da parábola de retorno à casa paterna para a bênção do amor.

Emoção do reencontro.

Alegria redescoberta.

Entretanto, em plena festa de luz, quase sempre desempenhamos o papel do conviva de cérebro deslumbrado, trazendo espinhos no coração.

Por fora, é o carinho que nos reúne.

Por dentro, é o remorso que nos fustiga.

Vanguarda que fulgura.

Retaguarda que obscurece.

Êxtase e dor.

Esperança e arrependimento.

Reconhecidos às mãos luminosas que nos afagam, muitos de nós sentimos vergonha das mãos sombrias que oferecemos.

E porque a Lei nos infunde respeito à justiça, aspiramos a debitar a nós próprios o necessário burilamento e a suspirada felicidade.

Rogamos, dessa forma, a reencarnação, à guisa de recomeço, buscando a tarefa que interrompemos e a afeição que traímos, o dever esquecido e o compromisso menosprezado, famintos de reajuste.

* * *

Agradece, assim, o lugar de prova em que te situas.

Corpo doente, companheiro difícil, parente complexo, chefe amargo e dificuldade constante são oportunidades que se renovam.

Todo título exterior é instrumentação de serviço.

A existência terrestre é o bom combate.

Defeito e imperfeição, débito e culpa são inimigos que nos defrontam.

Aperfeiçoamento individual é a única vitória que não se altera.

E, em toda parte, o verdadeiro campo de luta somos nós mesmos.

2
Hoje ainda

*Reunião pública de 23/1/61,
1ª parte, capítulo 7, § 8*

Não esperarás pela fortuna a fim de servir à beneficência.

Muitas vezes, na pesquisa laboriosa do ouro, gastarás o próprio corpo em cansaço infrutífero.

* * *

Cede, hoje ainda, a pequena moeda de que dispões em favor dos necessitados.

O vintém que se transforma no pão do faminto vale mais que o milhão indefinidamente sepultado no cofre.

* * *

Não requestarás a glória acadêmica para colaborar na instrução.
Muitas vezes, na porfia da conquista de lauréis para a inteligência, desajustarás, debalde, a própria cabeça.

* * *

Ampara, hoje ainda, o irmão que anseia pelo alfabeto.
Leve explicação que induza alguém a libertar-se da ignorância vale mais que o diploma nobre, guardado inútil.

* * *

Não exigirás ascensão ao poder humano a fim de proteger as vidas alheias.
Muitas vezes, na longa procura de autoridade, consumirás, em vão, o ensejo de auxiliar.

* * *

Acende, hoje ainda, para essa ou aquela criança extraviada, a luz do caminho certo.
Pequeno gesto edificante que incentiva um menino a buscar o melhor vale mais que a posição brilhante sem proveito para ninguém.

* * *

Não solicitarás feriado para socorrer os aflitos.
Muitas vezes, reclamando tempo excessivo para cultivar a fraternidade, perderás, improficuamente, o tesouro dos dias.

* * *

Estende, hoje ainda, alguma palavra confortadora aos companheiros que a provação envolve em lágrimas.

Uma hora de esclarecimento e esperança no consolo aos que choram vale mais que um século de existência, amarrado à preguiça.

* * *

Não percas ocasião para o teu heroísmo, nem aguardes santidade compulsória para demonstrações de virtudes.

Comecemos a cultura das boas obras, hoje ainda, onde estivermos, porque toda migalha do bem, com quem for e onde for, é crédito acumulado ou começo de progresso na Justiça de Deus.

3
Não furtar

*Reunião pública de 27/1/61,
1ª parte, capítulo 6, item 24*

Diz a Lei: "não furtarás".

Sim, não furtarás o dinheiro, nem a fazenda, nem a veste, nem a posse dos semelhantes.

Contudo, existem outros bens que desaparecem, subtraídos pelo assalto da agressividade invisível que passa, impune, diante dos tribunais articulados na Terra.

Há muitos amigos que restituem honestamente a moeda encontrada na rua, mas que não se pejam de roubar a esperança e o entusiasmo dos companheiros dedicados ao bem, traçando telas de amargura e desânimo com as quais favorecem a vitória do mal.

Muitos respeitam a terra dos outros; entretanto, não hesitam em dilapidar-lhes o patrimônio moral, assestando contra eles a maledicência e a calúnia.

Há criaturas que nunca arrebataram objetos devidos ao conforto do próximo; contudo, não vacilam em surripiar-lhes a confiança.

E há pessoas inúmeras que jamais invadiram a posse material de quem quer que seja; no entanto, destroem, sem piedade, a concórdia e a segurança do ambiente em que vivem, roubando o tempo e a alegria dos que trabalham.

"Não furtarás" — estatui o preceito divino.

É preciso, porém, não furtar nem os recursos do corpo, nem os bens da alma, pois que a consequência de todo furto é prevista na Lei.

4
Virtude solitária

*Reunião pública de 30/1/61,
1ª parte, capítulo 3, item 8*

Há quem deseje tranquilidade ideal na Terra com a pretensão de fugir ao erro.
Casa branca no aclive da serra, com o vale rente.
Fontes claras, correndo perto, e jardim florido.
Clima doce e perfume da natureza.
Nenhum aborrecimento.
Nenhum cuidado.
Falta alguma.
Problema algum.
Solidão saborosa em que o morador consiga estirar-se, inerte, em poltronas e redes.

* * *

No entanto, é no trato da luta que as forças se enrijam e as qualidades se aperfeiçoam.

Considerando-se que o mal é a experiência inferior nos quadros da experiência mais nobre, é no serviço do amparo mútuo e da tolerância recíproca que havemos de transformá-lo em bem duradouro, como se tomássemos as nossas próprias sombras de ontem para convertê-las na luz de hoje.

Livres, estamos interligados perante a Lei para fazer o melhor e, escravizados aos compromissos expiatórios, estaremos acorrentados uns aos outros no instituto da reencarnação, segundo a Lei, para anular o pior que já foi feito por nós mesmos nas existências passadas.

Ninguém progride sem alguém.

* * *

Abençoemos, assim, as provações que nos abençoam.
Trabalho é ascensão.
Dor é burilamento.
Toda adversidade avisa, todo sofrimento instrui, todo pranto lava, toda dificuldade esclarece e toda crise seleciona.
Virtude solitária é pão na vitrine.
Competência no palanque é usura da alma.
Todos somos alunos na escola da vida.
E ninguém consegue aprender sem dar a lição.

5
Espiritismo explicando

Reunião pública de 3/2/61,
1ª parte, capítulo 1, item 14

Indagavas quanto ao Grande Porvir.

A Doutrina Espírita sossegou-te as ânsias, explicando que te encontras provisoriamente no mundo, a serviço do próprio burilamento, para a imortalidade vitoriosa.

* * *

Perguntavas sobre os amargos desajustes entre corpo e alma, quando a enfermidade ou a mutilação aparece.

A Doutrina Espírita asserenou-te a aflitiva contenda íntima, explicando que a individualidade eterna se utiliza, temporariamente, de um corpo imperfeito, como alguém que se vale de instrumento determinado para determinada tarefa de corrigenda a si mesmo.

* * *

Inquirias com respeito à finalidade dos problemas domésticos.

A Doutrina Espírita harmonizou-te o pensamento, explicando que o lar é instituto de regeneração e de amor, onde retomas a convivência dos amigos e desafetos das existências passadas para a construção do futuro melhor.

* * *

Interrogavas em torno dos entes amados, além do túmulo.

A Doutrina Espírita dissipou-te as dúvidas, explicando que o sepulcro não é o fim, tanto quanto o berço não é o princípio, e que toda criatura, ao desenfaixar-se dos laços físicos, prossegue na marcha de aprimoramento e ascensão do ponto evolutivo em que se achava na Terra.

* * *

Interpelavas o campo religioso acerca da Justiça Divina.

A Doutrina Espírita suprimiu-te a inquietação, explicando que Deus não concede privilégios e que, em qualquer estância do Universo, a alma recebe, inelutavelmente, da vida, o bem ou o mal que dá de si própria.

* * *

Torturavas a mente, qual se devesses respirar em cárcere de mistério, toda vez que cogitavas das questões transcendentes da fé.

A Doutrina Espírita acalmou-te, explicando que ninguém pode violentar os outros em matéria de crença, acentuando, porém, que toda fé, para nutrir-se de luz, deve ser raciocinada em bases de lógica, porquanto, diante das Leis Divinas, cada consciência é responsável pelos próprios destinos.

* * *

É necessário valorizar a Doutrina que generosamente nos valoriza. Sustentar-lhe a integridade e a pureza perante Jesus, que a chancela, é procurar o nosso aperfeiçoamento e trabalhar por nossa união.

6
Faltas

Reunião pública de 6/2/61,
1ª parte, capítulo 7, § 27

É possível que o constrangimento do companheiro tenha surgido do gesto impensado de tua parte.

O gracejo impróprio ou o apontamento inoportuno teria tido o efeito de um golpe.

Decerto, não alimentaste a intenção de ferir, mas a desarmonia partiu de bagatela, agigantando-se em conflito de grandes proporções.

* * *

De outras vezes, a mente adoece, conturbada.

Teremos ofendido, realmente.

A cólera ter-nos-á cegado o discernimento e brandimos o tacape da injúria.

Pretendemos aconselhar e cortamos o coração de quem ouve.
Alegando franqueza, envenenamos a língua.
No pretexto de consolar, ampliamos chagas abertas.
E começam para logo a distância e a aversão.

* * *

Se a consciência te acusa, repara a falta enquanto é cedo.
Chispa de fogo gera incêndio.
Leve alfinetada prepara a infecção.
Humildade é caminho.
Entendimento é remédio.
Perdão é profilaxia.
Muitas vezes, loucura e crime, dispersão e calamidade nascem de pequeninos desajustes acalentados.
Não hesites rogar desculpas, nem vaciles apagar-te, a favor da concórdia, com aparente desvantagem particular, porquanto, na maioria dos casos de incompreensão, em que nos imaginamos sofrer dores e ser vítimas, os verdadeiros culpados somos nós mesmos.

7
Infinito amor

Reunião pública de 10/2/61,
1ª parte, capítulo 6, item 16

Diante daqueles que suponhas transviados, mesmo que se entremostrem cegos no crime, não te confies à maldição.

Nessas horas difíceis, indagas de ti próprio onde reside a grande razão pela qual Deus tolera semelhantes abusos.

* * *

No entanto, se a inquietação te invade, pensa em teu próprio filho ao surgirem problemas...

Se notas infelizes lhe assinalam o estudo, sabes dar-lhe na escola o curso repetido ou transferes o exame para segunda época.

Se foge à profissão, diligencias sempre atividades novas para vê-lo correto e ajustado ao dever.

Se aparece doente, angarias remédio, restaurando-lhe as forças.

Se o vício lhe corrompe as fibras da consciência, não lhe cortas os braços, mas buscas na vida os meios necessários para que se reeduque.

Se comete erro grave, não lhe queres a morte, porquanto sentes que a compaixão te sugere outros campos de serviço e de emenda.

* * *

Ainda nas circunstâncias em que o mal te pareça abarcar toda a Terra, pensa no Amor Divino, que sustenta as estrelas e alimenta os insetos, a fim de que percebas, vibrando em toda parte, os apelos constantes do perdão e do auxílio.

Compreenderás, então, que a falta de alguém, hoje, pode ser nossa falta, igualmente, amanhã.

E ao notarmos que nós, Espíritos falíveis, conseguimos amar, apesar da imperfeição que nos tisna de sombra, saberemos por fim que Deus é sempre amor, sempre Infinito Amor na Justiça da Lei.

8
Merecimento maior

*Reunião pública de 13/2/61,
1ª parte, capítulo 7, § 12*

Divides alimento com os irmãos subnutridos.

Quanto possível, porém, oferece-lhes, sem qualquer exibição de virtude, o pão do conhecimento espiritual.

Compras agasalho para os que sofrem ao desabrigo.

Quanto possível, no entanto, movimenta as próprias mãos na costura, fabricando essa ou aquela peça de roupa, destinada aos que tremem de frio.

Envias remédio ao enfermo.

Quanto possível, contudo, estende-lhe alguma palavra de encorajamento e esperança.

Entregas, a benefício dos necessitados, os sobejos do reduto doméstico.

Quanto possível, entretanto, aproveita as sobras de tempo a fim de levar-lhes a frase de entendimento que os ajude a destrinçar os problemas da vida.

Ajudas ao companheiro nas horas de compreensão e harmonia ideal.

Quanto possível, porém, ampara-lhe a alma dorida, quando as provações, junto dele, não te gratifiquem o anseio de reconforto.

Oras de alma tranquila entre os irmãos de fé nos dias de céu azul.

Quanto possível, no entanto, descansa com eles na fonte da prece, quando as lutas e as dores se fizerem mais acirradas.

Exerces a beneficência em atividade manifesta.

Quanto possível, contudo, atende à renúncia silenciosa pela felicidade dos outros, partindo da própria casa.

Desculpas a quem te ofende.

Quanto possível, entretanto, assume a iniciativa da reconciliação, cultivando a humildade.

Todo bem, qualquer que ele seja, é bênção creditada a favor de quem o pratica.

Da migalha à fortuna, ofertadas por amor, há toda uma escala de alegria e de luz.

Contudo, todo o bem praticado com sacrifício tem merecimento maior.

9
Caídos

Reunião pública de 17/2/61,
1ª parte, capítulo 7, item 10

Aproxima-te dos caídos para ajudar.

Não suponhas, contudo, que eles sejam apenas os companheiros que encontras na estrada, em decúbito, vitimados de inanição ou de desalento.

Assesta as lentes do espírito e surpreenderás os que jazem prostrados, embora garantam o corpo em condição vertical à maneira de torre inútil.

Entretanto, é preciso compreender para discernir.

Há os que caíram amando, sem saber que o afeto insensato os arrojaria nas trevas.

Há os que caíram em rijas cadeias, por ignorarem que as flores genuínas do lar costumam viver no adubo do sofrimento.

Há os que caíram auxiliando, por desconhecerem que a caridade real pede apoio à renúncia.

Há os que caíram por devotamento à dignidade, transformando a Justiça em gládio de intolerância.

Há os que caíram nos duros freios do orgulho, imaginando-se mais limpos e mais nobres que os seus irmãos.

Há os que caíram no fogo das paixões delinquentes, ateado por eles mesmos à própria senda.

Há os que caíram nas grades do ódio, por olvidarem que o perdão é sustento da vida.

E há ainda aqueles outros que caíram na miséria da usura, como se pudessem comer o dinheiro que acumularam chorando...

Cada um deles traz a dor nos recessos da alma por elemento de correção.

Não lhes agraves, assim, o suplício moral, alargando-lhes as feridas.

Todos somos viajores nas trilhas da Terra, carregando fardos de imperfeições.

Hoje, podes estender os braços e levantar os que desfalecem. Amanhã, porém, é novo dia de caminhada e, embora tenhamos a obrigação de orar e vigiar, nenhum de nós sabe realmente se vai cair.

10
Viverás para sempre

Reunião pública de 20/2/61,
1ª parte, capítulo 2, item 3

Meditando na morte, honra, servindo, a estância carnal em que te hospedas por algum tempo.

Nela, descobrirás com frequência os que fazem ironia em torno da fé; os que se referem à virtude como sendo uma farsa; os que falam de corrida ao poder, calcando aos pés o coração dos semelhantes; os que zombam da lealdade, e os que improvisam redutos de fantasioso prazer, argamassando-os com o pranto das viúvas e dos órfãos.

Não te padronizes pelo figurino moral que apresentam, porquanto, qual acontece contigo, ainda que não queiram, permanecem de viagem na Terra, e cada um prestará contas de si próprio no momento oportuno.

Se a semente conseguisse ouvir-nos acerca da valiosa tarefa de que se incumbirá na alimentação do povo quando estiver convertida em árvore, talvez nos recusasse os vaticínios, e se a lagarta pudesse escutar-nos sobre a futura condição que a espera, dentro da qual volitará no espaço com asas de borboleta, provavelmente nos interpretaria por loucos.

Não te molestem, assim, as considerações pueris dos irmãos nossos que procuram transformar a vida terrena em floresta de impulsos selvagens, gastando a existência em caça e pesca de emoções inferiores.

* * *

Persiste na reta consciência e faze o teu melhor.

Dos Planos Superiores, os amigos que te antecederam na Pátria Espiritual acompanham-te os triunfos ignorados pelos homens e abençoam-te o suor da paciência nas lutas necessárias; encorajam-te na causa do amor puro e sustentam-te as energias para que as tuas esperanças não desfaleçam; comungam-te as alegrias e as dores, ensinando-te a semear a felicidade nos outros, para que recolhas a felicidade maior; se tropeças, estendem-te os braços e, se choras, enxugam-te as lágrimas; sobretudo, esperam-te, confiantes, quando termines a tarefa, para te abraçarem, afetuosos, com a alegria de quem recebe um companheiro querido de volta ao lar.

Persevera no bem, sabendo que viverás para sempre.

E, se te sentires sozinho na fé, lembra-te de Jesus.

Um dia, ele esteve abandonado e crucificado no alto de uma colina, contemplando amigos desertores e algozes gratuitos, beneficiários ingratos e adversários inconscientes... Na conceituação humana, estava plenamente sozinho; contudo, ele com Deus e Deus com ele formavam maioria ante a multidão desvairada.

11
Culpa e reencarnação

*Reunião pública de 24/2/61,
1ª parte, capítulo 5, item 7*

Espíritos culpados!
Somos quase todos.

Julgávamos que o poder transitório entre os homens nos fosse conferido como sendo privilégio e imaginário merecimento, e usamo-lo por espada destruidora, aniquilando a alegria dos semelhantes...

Contudo, renascemos nos últimos degraus da subalternidade, aprendendo quanto dói o cativeiro da humilhação.

Acreditávamos que a moeda farta nos situasse a cavaleiro dos desmandos de consciência...

Entretanto, voltamos à arena terrestre, em doloroso pauperismo, experimentando a miséria que infligimos aos outros.

Admitíamos que as vítimas de nossos erros deliberados se distanciassem para sempre de nós, depois da morte...

Mas tornamos a encontrá-las no lar, usando nomes familiares, no seio da parentela, onde nos cobram, às vezes com juros de mora, as dívidas de outro tempo, em suor do rosto, no sacrifício constante, ou em sangue do coração, na forma de lágrimas.

Supúnhamos que os abusos do sexo nos constituíssem a razão de viver e corrompemos o coração das almas sensíveis e nobres com as quais nos harmonizávamos, vampirizando-lhes a existência...

No entanto, regressamos ao mundo em corpos dilacerados ou deprimidos, exibindo as estranhas enfermidades ou as gravosas obsessões que criamos para nós mesmos, a estampar na apresentação pessoal a soma deplorável de nossos desequilíbrios.

* * *

Espíritos culpados!

Somos quase todos.

A Perfeita Justiça, porém, nunca se expressa sem a Perfeita Misericórdia e abre-nos a todos, sem exceção, o serviço do bem, que podemos abraçar na altura e na quantidade que desejarmos, como recurso infalível de resgate e reajuste, burilamento e ascensão.

Atendamos às boas obras quanto nos seja possível.

Cada migalha de bem que faças é luz contigo, clareando os que amas.

E assim é porque, de conformidade com as Leis Divinas, o aperfeiçoamento do mundo depende do mundo, mas o aperfeiçoamento em nós mesmos depende de nós.

12
Nas leis do amor

*Reunião pública de 27/2/61,
1ª parte, capítulo 3, item 12*

Se alguém te fala em descanso inútil depois da morte, pensa nos que sofrem por amor na experiência terrestre.

Indaga das mães devotadas se teriam coragem de relegar os filhos delinquentes à solidão da masmorra...

Preferem chorar na pocilga do cárcere, trabalhando por eles, a morarem no paraíso com o peito rebentando de lágrimas.

Pergunta aos pais afetuosos se pediriam a forca para os rebentos do próprio sangue, comprometidos em débitos insolúveis...

Escolhem a condição dos grilhetas, de modo a vê-los recuperados, renunciando aos prêmios que a sociedade lhes destine à honradez.

Inquire da esposa abnegada se deixaria o companheiro enredado à loucura para brilhar num desfile de santidade...

Disputará as vigílias no manicômio para servi-lo, fugindo aos louros da praça pública.

Interroga do amigo verdadeiro se deixará o amigo confiante em dificuldade...

Aceitará partilhar-lhe as provações, recusando os privilégios com que o mundo lhe acene.

* * *

Isso acontece na Terra, onde o amor ainda se mistura ao egoísmo, qual o ouro perdido na ganga do solo.

Para além das cinzas do túmulo, há paz de consciência e alegria profunda no dever nobremente cumprido, mas, se te afeiçoas à bondade e à renúncia, poderás, quanto quiseres, continuar auxiliando os entes amados que aprendeste a venerar e querer, ou prosseguir exaltando os ideais e as tarefas edificantes que abraças.

À medida que penetramos os segredos do amor puro, vamos reconhecendo que ninguém pode ser realmente feliz sem fazer a felicidade alheia no caminho em que avança.

O próprio Criador determinou que a noite se cobrisse de estrelas e que o espinheiral se levantasse recamado de rosas.

Trabalharemos e sofreremos, assim, por amor, pelos séculos adiante, ajudando-nos uns aos outros a erguer a felicidade de nosso nível, até que possamos entrar, todos juntos, na suprema felicidade que consiste em nossa união com Deus para sempre.

13
De ânimo firme

*Reunião pública de 3/3/61,
1ª parte, capítulo 7, § 28*

É possível que estejas descobrindo o que não esperavas.

Construções, que supunhas de ouro, acabaram em resíduos de pedra.

Promessas, acalentadas por muitos anos, parecem-te agora rematadas mentiras.

Afetos, julgados invulneráveis, abandonaram-te o passo quando mais necessitavas de apoio.

Surpreendeste a incompreensão nos companheiros mais nobres e colheste amargos problemas nos próprios filhos que viste crescer ao calor de teu corpo.

Ruíram aspirações, lembrando preciosos vasos quebrados.

Sonhos desfizeram-se, de improviso, como se ventania arrasadora te devastasse a existência.

Apesar de tudo, porém, renova-te a cada instante e caminha incessantemente, arrimando-te à fé viva.

Na Terra ou além da Terra, a soma das lutas que carregamos reúne as parcelas dos compromissos assumidos junto à bolsa do tempo.

Aflição de hoje, dívida de ontem.

Merecimento de agora, crédito de amanhã.

Banha as mais íntimas energias nas torrentes do amor puro que compreende e edifica sempre; veste o arnês do trabalho que aprimora e sublima e sigamos em frente, honrando a nossa condição de almas eternas.

Nada tendo e tudo possuindo...

Sozinhos e com todos.

Chorando jubilosos e suando contentes...

Atormentados e tranquilos...

Desfalecentes e refeitos...

Dilacerados e felizes...

Batidos e levantados...

Morrendo cada dia para reviver no dia seguinte, em plano superior...

E, atingindo os marcos do túmulo, de partida para a Luz Espiritual, se viveste amando e perdoando, purificando e servindo, encontrarás em ti mesmo a flama da alegria, ressurgindo do sofrimento, como a glória solar renascendo das trevas.

14
Quitação

*Reunião pública de 6/3/61,
1ª parte, capítulo 7, § 9*

Todas as contas a resgatar pedem relação direta entre credores e devedores.

É por isso que te vês, frequentemente, na Terra, diante daqueles a quem deves algo.

No lar ou nas linhas que o marginam, é fácil reconhecê-los, quando entregas desinteresse e dedicação, recolhendo aspereza e indiferença.

Muitas vezes, trazem nomes queridos no recinto doméstico e assemelham-se a impassíveis verdugos, apresando-te o coração nas grades do sofrimento.

Em muitos lances da estrada, são amigos a quem te dás, sem reserva, e que te arrastam a dificuldades de longo curso.

Em várias ocasiões, são pessoas das quais enxugaste as lágrimas, situando-as na intimidade da própria vida, e que, de inesperado, te agridem a confiança com as pedras do desapreço.

Noutras circunstâncias, são companheiros de experiência que, de súbito, se transformam em adversários gratuitos de teu caminho, hostilizando-te em toda parte.

Entretanto, se defrontado por semelhantes problemas, é indispensável que te municies de amor e paciência, tolerância e serenidade, para desfazeres a trama da incompreensão.

Guarda a consciência no dever lealmente cumprido e, haja o que houver, releva os golpes com que te firam, ofertando-lhes o melhor sentimento, a melhor ideia, a melhor palavra e a melhor atitude.

Água cristalina, pingando, gota a gota, converte o vaso de vinagre em vaso de água pura.

E, se depois de todos os teus gestos de fraternidade e benevolência, ainda te perseguem ou te injuriam, abençoa-os em prece e continua, adiante, fiel a ti mesmo, na certeza de que humildade, na hora da crise, é nota de quitação.

15
Cada existência

*Reunião pública de 10/3/61,
1ª parte, capítulo 5, item 4*

É como se retivesses milenárias esperanças, procurando explodir, e, por essa razão, sofres a impossibilidade transitória de alcançar o ideal a que te propões.

Queres realizar os melhores sonhos, aspiras ao estudo edificante do Universo, anseias atingir as culminâncias da Ciência e da Arte, atormentas-te pela aquisição da felicidade e choras pela integração da própria alma no amor supremo...

Entretanto, quase sempre tens ainda o coração preso à dívida, à feição do diamante engastado ao seixo.

Há problemas que solicitam toda uma existência de renúncia constante, para que o fio do destino se alimpe e desembarace.

À vista disso, não desertes da prova que te segrega, temporariamente, na grande tribulação.

O lar pejado de sacrifícios, a família consanguínea a configurar-se por forja ardente, a viuvez expressando exílio, a obrigação qual golilha atada ao pescoço, o compromisso em forma de algema e a moléstia semelhando espinho na própria carne constituem liquidações de longo prazo ou ajuste de contas a prestações, para que a liberdade nos felicite.

Resgata, pois, sem revolta, o próprio caminho.

Enquanto há inquietação na consciência, há resto a pagar.

Agradece, assim, as dificuldades e as dores que te rodeiam.

Cada existência, no plano físico, pode ser um passo adiante que te projete na vanguarda de luz.

Misericórdia na Justiça Divina, consolações inefáveis, braços amigos, diretrizes renovadoras e auxílio constante não te faltam em tempo algum; contudo, está em ti mesmo aceitar, adiar, reduzir, facilitar ou agravar o preço da tua libertação.

16
Na escola da vida

Reunião pública de 13/3/61,
1ª parte, capítulo 7, § 23

De alma confrangida, observas os semelhantes, considerados na Terra em faltas e culpas maiores que as tuas.

De muitos deles tens notícias que assombram e sabes de outros muitos positivamente estirados na delinquência.

Agitam-se alguns, por ignorância, sob as tenazes do crime.

Vários conhecem que amargas consequências recolherão, mais tarde, e, apesar disso, rendem-se, inermes, às garras da tentação.

Declaram-se outros adeptos da virtude e rolam na crueldade.

E outros, ainda, que te animavam à fé permanecem na retaguarda, entregues ao desespero...

Junto deles, há quem diga: "são almas empedernidas".

E há quem reforce: "são feras em forma humana".

Entretanto, ainda mesmo te arroles entre as vítimas, carregando o peito dilacerado, não ergas a voz para persegui-los. Estão marcados em si mesmos pelo remorso que trazem no seio.

Não é necessário que te aproximes com vergastas para zurzir-lhes a carne. Além de sitiados na dor do arrependimento, quase sempre transitam em cárceres de amargura ou respiram exilados do carinho doméstico, sorvendo lágrimas de aflição.

Em lugar de fel e desprezo, dá-lhes amor e esperança, a fim de que despertem a vontade entorpecida para o campo do bem.

Diante de todos eles, nossos irmãos enganados na sombra, abençoa e ora... E, se te agridem, desvairados e inconscientes, abençoa e ora de novo, na certeza de que Deus a ninguém abandona e, ainda mesmo para os filhos mais depravados, providenciará reajuste, por meio da reencarnação, que é a escola da vida, a levantar-se, divina, do bendito colo de mãe.

17
Exames

*Reunião pública de 17/3/61,
1ª parte, capítulo 7, § 33*

A dor é agente de fixação, expondo-nos a verdadeira fisionomia moral.

O sofrimento é fotógrafo oculto.

Deslinda os mais íntimos aspectos da personalidade, situando-os a descoberto.

Aclara os menores impulsos do coração, deixando-os à mostra.

Em razão disso, cada problema que te procura é semelhante ao trabalho de análise dirigida, como que a radiografar-te certas zonas do ser, de modo a verificar-lhes o equilíbrio.

Cada provação pode ser comparada a um banho de substâncias químicas, testando-te ideias e sentimentos, para definir-lhes a sanidade.

A vida, expressando a Sabedoria Divina, observa cada um de nós, diariamente, examinando-nos o possível valor, a fim de valorizar-nos.

Cultura nobre granjeia tarefas enobrecidas.

Virtude alcança merecimento.

Quem aprende pode ensinar.

Quem semeia o melhor adquire o melhor.

Quem ajuda sem recompensa colhe apoio espontâneo.

Em todas as borrascas e provações, adversidades e sombras, permanece fiel ao bem, no serviço incansável, para que o bem te revele por meio dos outros.

Não consultes a palavra "impossível" no dicionário da experiência. Todos temos a vontade por alavanca de luz, e toda criatura, sem exceção, demonstrará a quantidade e o teor da luz que entesoura em si própria, toda vez que chamada a exame, na hora da crise.

18
Sabes disso

*Reunião pública de 20/3/61,
1ª parte, capítulo 7, § 32*

Essas doces crianças que observas com sublime enternecimento são teus filhos, pérolas de luz, cujo escrínio geraste no coração, muitas vezes coagulando as próprias lágrimas.

Tomaste algo de teu sangue e amassaste-o com o hálito de teu hálito, adicionaste os melhores sonhos e os mais límpidos ideais e formaste semelhantes maravilhas que te nasceram por esperanças em flor.

Sentindo-as por aves frágeis, à busca de asilo em teu peito, sabes acolher-lhes as necessidades no carinho incessante.

Dias de laborioso cuidado, preservando-lhes a existência.

Noites de dolorosa vigília, quando a enfermidade aparece.

Alimento, agasalho, escola, responsabilidades e inquietações...

Entretanto, mais tarde, nunca te lembrarás de cobrar-lhes impostos de reconhecimento ou exigir que se convertam em fantoches de teus caprichos.

Ver-lhes a honradez e o trabalho, o passo reto e a independência construtiva representa, em verdade, todo o triunfo que ambicionas.

E, um dia, dobado longo tempo sobre a tua renúncia, se essas crianças, transfiguradas em pessoas adultas, caem sob terríveis enganos, na conquista da experiência, sabes esquecer as rugas de dor e refazer os ossos desconjuntados... Sabes começar a luta de novo para ajudar os rebentos da própria vida a se transferirem das dívidas de aflição para os júbilos do resgate... E a todos os que te reprovam o devotamento e a fadiga, censurando-te a persistência no sacrifício, sabes responder, na mesma reserva de confiança e ternura, com alegria misturada de pranto: "são meus filhos".

* * *

Isso acontece no lar terreno, onde as criaturas humanas, embora imperfeitas, não se resignam a ferretear os próprios filhos com o estigma de escravos...

Imagina, pois, a longanimidade do amor que vibra e reina, infinito, no Lar Divino da Criação!...

19
Omissão

Reunião pública de 24/3/61,
1ª parte, capítulo 7, § 6

Asseveras não haver praticado o mal; contudo, reflete no bem que deixaste a distância.

Não permitas que a omissão se erija em teu caminho, por chaga irremediável.

Imagina-te à frente do amigo necessitado a quem podes favorecer.

Não te detenhas a examinar processos de auxílio.

É possível que amanhã não mais consigas vê-lo com os olhos da própria carne.

Supõe-te ao pé do companheiro sofredor, a quem desejas aliviar.

Não demores o socorro preciso.

É provável que o abraço de hoje seja o início de longo adeus.

Não adies o perdão, nem atrases a caridade.

Abençoa, de imediato, os que te firam com o rebenque da injúria e ampara, sem condições, os que te comungam a experiência.

Se teus pais, fatigados de luta, são agora problemas em teu caminho, apoia-os com mais ternura.

Se teus filhos, intoxicados de ilusão, te impõem dores amargas, bendize-lhes a presença.

Se o trabalho espera por tuas mãos, arranja tempo para fazê-lo.

Se a concórdia te pede cooperação, não retardes o atendimento.

Não percas a divina oportunidade de estender a alegria.

Tudo o que enxergas, entre os homens, usando a visão física, é moldura passageira de almas e forças em movimento.

Faze, em cada minuto, o melhor que puderes.

Seja qual for a dificuldade, não desertes do amor que todos devemos uns aos outros. E se recebes, em troca, pedra e ódio, vinagre e fel, sorri e auxilia sempre, porque é possível que estejas hoje, na Terra, diante dos outros ou os outros diante de ti, pela última vez.

20
Missões

*Reunião pública de 27/3/61,
1ª parte, capítulo 3, item 14*

Aspiras à posição dos grandes administradores; entretanto, não sopesas as responsabilidades que lhes requeimam a fronte, quais invisíveis anéis de fogo.

Anelas o renome dos grandes juízes, mas não sabes em quantas ocasiões padecem, agoniados, para não caírem nos erros de consciência.

Desejas a fama dos grandes cientistas; contudo, não indagas quanto ao preço que pagam à disciplina, para manterem fidelidade às suas obrigações.

Queres as vantagens dos grandes industriais; no entanto, desconheces a imensa luta em que se desgastam.

Abraça a atividade singela que o mundo te reservou, respeitando a importância da vida.

Se a experiência de sacrifício te chama a decifrar-lhe os segredos, lembra-te do alicerce que se esconde no solo, preservando a segurança da construção.

Se o apostolado familiar é a renúncia que te compete, recorda que não existem personalidades notáveis entre os homens sem o devotamento silencioso de mães e pais, professores e companheiros que se apagam, pouco a pouco, a fim de que elas se levantem na evidência terrestre, à feição das obras-primas de estatuária, em pedestais obscuros.

O arado que semeia é irmão da pena que escreve.

A cozinha dedicada à química do alimento é outra face do laboratório consagrado à química das aplicações científicas.

Diante da Lei, todas as tarefas do bem são missões de caráter divino.

Atende, pois, de coração alegre, ao dever que te cabe e, se ninguém na Terra dá conta de teus passos, ignorando-te a presença, nem por isso abandones o trabalho humilde que a vida te confiou, na certeza de que Deus é também o Grande Anônimo a ensinar-nos, na base de toda a sabedoria e de todo o amor, que o mais alto privilégio é servir e servir.

21
Pai

*Reunião pública de 14/4/61,
1ª parte, capítulo 6, item 4*

É natural que consideres teu problema qual espinho terrível.

É justo que reconheças tua prova por agonia do coração.

Ergues súplice olhar, no silêncio da prece, e relacionas mecanicamente aqueles que te feriram.

É como se conversasses intimamente com Deus, apresentando-lhe vasto balanço de amarguras e queixas...

E o Supremo Senhor cuidará realmente de ti, alentando-te o passo... Entretanto, é preciso não esquecer que ele cuidará igualmente dos outros.

* * *

Lança mais profundo olhar naqueles que te ofenderam, conforme acreditas, e compara as tuas vantagens com as deles.

Quase sempre, embora se entremostrem adornados de ouro e renome nas galerias da evidência e da autoridade, são almas credoras de compaixão e de auxílio... Traíram-te a confiança, contudo, tombaram nas malhas de pavorosos enganos; humilharam-te impunemente, mas adquiriram remorsos para imenso trecho da vida; dilaceraram-te os ideais, entretanto, caíram no descrédito de si próprios; abandonaram-te com inexprimível ingratidão, todavia, desceram à animalidade e à loucura...

Não é possível que a Luz do Universo apenas te ampare, desprezando-os a eles que se encontram à margem de sofrimento maior.

* * *

Unge-te, assim, de paciência e compreensão para ajudar na Obra Divina, ajudando a ti mesmo.

Em qualquer apreciação, ao redor de alguém, recorda que o teu Criador é também o Criador dos que estão sendo julgados.

É por isso que Jesus, em nos ensinando a orar, revelou Deus como sendo o amor de todo amor, afirmando, simples: "Pai nosso, que estás nos céus...".

22
Em oração e serviço

Reunião pública de 17/4/61,
1ª parte, capítulo 3, item 15

Não paralises o impulso do amor fraterno diante dos companheiros que te parecem errados.

Aquele que hoje carrega na praça o nome de malfeitor pode ser amanhã o apoio a que te arrimes.

* * *

Reprovaste o motorista que se envolveu em grave desastre e, ao vê-lo em posição difícil na estrada, propões-te, de início, lançá-lo à própria sorte, seguindo indiferente.

Entretanto, vence a repulsão e assegura-lhe o socorro preciso.

É possível seja ele, mais além, o amigo certo que te livrará de males maiores.

* * *

Viste com desprazer o homem público que se tornou repentinamente odiado à face de erros clamorosos que se viu na conjuntura de cometer ou endossar na esfera administrativa e, no momento justo de considerar-lhe as obras deficitárias, inclinas-te à censura.

Cala, porém, a crítica destrutiva e pronuncia o verbo que lhe sirva de reconforto.

Provavelmente, muito breve será ele o interventor providencial na solução de teus problemas.

* * *

Conheces o rapaz transviado, autor de faltas confessas pela carência de educação com que foi rudemente prejudicado através do tempo e, ao surpreendê-lo embriagado na rua, dispões-te, instintivamente, a passar de largo.

Contudo, deixa que a bondade te inspire o coração e dá-lhe simpatia.

Pode acontecer, em futuro próximo, seja ele a pessoa indicada a salvar-te em amargos perigos.

* * *

Fitaste com desprezo a jovem menos feliz, que se arrojou a costumes indesejáveis por falta de assistência no lar em que se desenvolveu ao sabor dos próprios caprichos e, encontrando-a enredada nas teias da delinquência, tendes a incriminá-la com palavras condenatórias.

No entanto, reflete na compaixão e ampara-lhe o reajuste.

Talvez amanhã esteja ela no quadro de teus familiares mais queridos por injunções de casamento.

* * *

Para isso, não te sintas superior.

Lembra-te, acima de tudo, de que, pelas imperfeições que ainda trazemos, todos somos delinquentes potenciais e de que, se não vigiarmos em oração e serviço, junto das tentações que nos visitam as fraquezas, ainda hoje o lugar dos irmãos caídos pode ser igualmente o nosso.

23
Na luz da reencarnação

Reunião pública de 21/4/61,
1ª parte, capítulo 7, item 17

Trazes hoje as vísceras doentes, compelindo-te aos aborrecimentos de incessante medicação.

Elas, porém, se fizeram assim, à força de suportarem ontem os teus próprios abusos nos venenos da mesa.

* * *

Trazes hoje o corpo mutilado, obrigando-te a movimentos de sacrifício.

Tens, no entanto, o carro físico desse modo por lhe haveres gasto, ontem, esse ou aquele recurso em corridas à delinquência.

* * *

Trazes hoje o cérebro hebetado, dificultando-te as expressões.
Mas isso acontece porque, ontem, mergulhavas a própria cabeça em clima de trevas.

* * *

Trazes hoje a carência material por sentinela de cada dia.
Contudo, ontem atolavas o coração no supérfluo, articulado com o pranto dos infelizes.

* * *

Trazes hoje, na própria casa, a presença de certos familiares que te acompanham à feição de verdugos.
Entretanto, são eles credores de ontem, que surgem, no tempo, pedindo contas.

* * *

Todos somos capazes de fazer o melhor, porquanto, pelas tentações e provas de hoje, podemos avaliar o ponto de trabalho em que a vida nos impele a sanar os erros do passado, clareando o futuro.
Perfeição é a meta.
Reencarnação é o caminho.
E toda falha na direção de obra perfeita exige naturalmente corrigenda e recomeço.

24
Céu

*Reunião pública de 24/4/61,
1ª parte, capítulo 3, item 18*

Aflitiva e longa tem sido a nossa viagem multimilenária, por meio da reencarnação, a fim de que venhamos a entender o conceito de Céu.

Entre os chineses de épocas venerandas, afiançávamos que a imortalidade era a absoluta integração com os antepassados.

Na Índia bramânica, admitíamos que o Éden fosse a condição privilegiada de alguns eleitos na pureza intocável dos cimos.

No Egito remoto, imaginávamos que a glória, na Esfera Espiritual, consistisse na intimidade com os deuses particulares, mesmo quando se mostrassem positivamente cruéis.

Na Grécia antiga, supúnhamos que a felicidade suprema, além da morte, brilhasse no trono das honrarias domésticas.

Com gauleses e romanos, incas e astecas, possuíamos figurações especiais do Paraíso e, ainda ontem, acreditávamos que o Céu fosse região deleitosa em que Deus, teologicamente transformado em caprichoso patriarca, vivesse condecorando os filhos oportunistas que evidenciassem mais ampla inteligência no campeonato da adulação.

De existência a existência, entretanto, aprendemos hoje que a vida se espraia, triunfante, em todos os domínios universais do sem-fim; que a matéria assume estados diversos de fluidez e condensação; que os mundos se multiplicam infinitamente no plano cósmico; que cada Espírito permanece em determinado momento evolutivo e que, por isso, o Céu, em essência, é um estado de alma que varia conforme a visão interior de cada um.

* * *

É por esse motivo que Allan Kardec pergunta e responde:
— Nessa imensidade ilimitada, onde está o Céu? Em toda parte. Nenhum contorno lhe traça limites. Os mundos superiores são as últimas estações do seu caminho que as virtudes franqueiam e os vícios interditam.

E foi ainda por essa mesma razão que, prevenindo-nos para compreender as realidades da natureza no grande porvir, ensinou-nos Jesus claramente: "O reino de Deus está dentro de vós".

25
Viajantes

Reunião pública de 28/4/61,
2ª parte, capítulo 1, item 1

De muitos deles tiveste notícia da glória que ostentavam na Terra.
Pompeavam adornos de alto preço e chamavam-se príncipes.
Brandiam armas sanguinolentas e faziam-se chefes.
Mostravam brasões e manejavam a autoridade.
Eram mulheres primorosamente vestidas e atuavam no pensamento dos ditadores, alterando a sorte das multidões.
Entretanto, apenas viajavam no caminho dos homens...

* * *

Outros muitos conheceste de perto.

Urdiam golpes de inteligência e dirigiam enormes comunidades.

Sobraçavam livros famosos e tornavam-se mestres.

Amontoavam dinheiro e erguiam-se poderosos.

Exibiam louros da mocidade e articulavam aventuras e sonhos.

Contudo, viajavam também...

* * *

Se eram bons ou maus, justos ou injustos, realmente não sabes, porque as verdadeiras contas de cada um são examinadas além...

No entanto, não ignoras que nem o poder, nem o encargo, nem a juventude, nem o ouro, nem a fama, nem a Ciência lhes conferiram qualquer privilégio de fixação.

Todos passaram, uns após outros...

Pensa nisso e recorda que te encontras no mundo igualmente em viagem.

No último dia da grande romagem, nada carregarás contigo do que temporariamente desfrutas, a não ser aquilo que fizeste e colocaste em ti mesmo.

Ninguém te aconselha a fazer da existência o culto inveterado da morte, mas é imperioso que caminhes na convicção de que a vida prossegue...

Vive, pois, de tal modo que todos aqueles que convivem contigo possam, mais tarde, lembrar-te o nome, como quem abençoa a presença da fonte ou agradece a passagem da luz.

26
No campo do espírito

Reunião pública de 1/5/61,
1ª parte, capítulo 7, § 30

Afirmas a sincera disposição de buscar a Esfera Superior, entretanto...

Surpreendeste lutas enormes no próprio lar, onde os mais amados te sonegam entendimento; observaste a queda dos melhores companheiros que te exercitavam na elevação; recebeste a lama da calúnia sobre as mãos limpas; viste amigos queridos dependurarem-te o nome no varal da suspeita; notaste que as tuas mais belas palavras rolaram no gelo da indiferença; recolheste escárnio em troca de amor...

Todos esses problemas, no entanto, são desafios da vida a te pedirem trabalho.

Seja qual for a dificuldade, não acuses, nem desanimes.

No campo do espírito, a injúria é lodo verbal.

Queixa é semente morta.
Reclamação é fuga estudada.
Censura é ponta de espinho.
Melindre é praga destruidora.
Irritação é tempo perdido.
Ideal inoperante é água parada.
Desalento é ramo seco.
Ninguém avança sem movimento.
Não há evolução nem resgate sem ação.
Evolução é suor indispensável.
Resgate é suor necessário com o pranto da consciência.

Nossas dores respondem, assim, pelas falhas que demonstremos ou pelas culpas que contraímos.

A Lei estabelece, porém, que as provas e as penas se reduzam ou se extingam sempre que o aprendiz do progresso ou o devedor da justiça se consagre às tarefas do bem, aceitando, espontaneamente, o favor de servir e o privilégio de trabalhar.

27
Nos círculos da fé

*Reunião pública de 5/5/61,
1ª parte, capítulo 1, item 12*

Acende a flama da reverência, onde observes lisura na ideia religiosa.

Lembremo-nos, com o devido apreço aos irmãos que esposam princípios diferentes dos nossos, de que existem tantos modos de expressar confiança no Criador quantos são os estágios evolutivos das criaturas.

Há os que pretendem louvar a Infinita Bondade, manejando borés; há os que se supõem plenamente desobrigados de todos os compromissos com a própria crença, tão somente por se entregarem a bailados exóticos; há os que se cobrem de amuletos, admitindo que o Eterno Poder vibre absolutamente concentrado nas figurações geométricas; há os que fazem votos de solidão, crendo agradar aos Céus, fugindo de trabalhar; há os que levantam santuários de ouro e pedrarias, julgando homenagear o Divino Amor; e há, ainda, os que se presumem detentores de prerrogativas e honras especiais, pondo e dispondo nos assuntos da alma, como se Deus não passasse de arruinado ancião ao sabor do capricho de filhos egoístas e intransigentes...

Ainda assim, toda vez que se mostrem sinceros, não lhes negues consideração e respeito.

Quase sempre, são corações infantis, usando símbolos como exercícios da escola ou sofrendo sugestões de terror para se acomodarem à disciplina.

Contudo, não lhes abraces as ilusões a pretexto de honorificar a fraternidade, porque a verdadeira fraternidade se movimenta a favor dos companheiros de evolução, clareando-lhes o raciocínio sem violentar-lhes o sentimento.

É preciso não engrossar hoje as amarras do preconceito para que o preconceito não se faça crueldade amanhã, perseguindo em nome da caridade ou supliciando em nome da fé.

* * *

Se a Doutrina Espírita já te alcançou o entendimento, apoiando-te a libertação interior e ensinando-te a Religião natural da responsabilidade com Deus em ti mesmo, recorda a promessa do Cristo: "Conhecereis a verdade e a verdade, afinal, vos fará livres".

28
Bem-aventurados

*Reunião pública de 8/5/61,
1ª parte, capítulo 3, item 17*

Vieram ao mundo em todos os tempos.
Seguem-nos ainda hoje.
E virão sempre.

Por amor, os bem-aventurados, que já conquistaram a Luz Divina, descerão até nós quais flamas solares que não apenas se retratam nos minaretes da Terra, mas penetram igualmente nas reentrâncias do abismo, aquecendo os vermes anônimos.

Chegam, sim, até nós, desculpando-nos as faltas e suprindo-nos as fraquezas, a integrar-nos na ciência difícil de corrigir-nos por nós mesmos, sem reclamarem o título de mestres.

Volvem de sublimes regiões, semelhando astros que se apagam na sombra de pesada renúncia, para nos conduzirem o passo e, envergando a roupagem inferior em que nos achamos, são pais e mães, amigos e servidores, cuja grandeza, muita vez, percebemos somente depois que se distanciam...

Ajudam-nos a carregar o fardo de nossos erros, sem tornar-nos irresponsáveis. Alentam-nos a energia sem demitir-nos da obrigação.

Sobretudo, jamais nos criticam as deficiências, apesar de nos conhecerem as forças ainda frágeis e, ainda mesmo quando nos rebolquemos no vício, levantam-nos, caridosos, sem fustigar-nos com o tição da censura.

São eles a palavra serena nos torvelinhos do desespero, o refúgio no abandono, o consolo quando a provação nos obriga a marchar sob a chuva das lágrimas e a certeza do bem, quando o mal parece minar a vida.

* * *

Se choras, reflete neles.

Quando te afligires, não lhes olvides o apoio.

Endereça o pensamento às Alturas e pede-lhes inspiração e socorro, porque, para eles, os bem-aventurados que se elevaram à União Divina, o júbilo maior será sempre esparzir o amor de Deus que acende estrelas, além das trevas, e desabotoa rosas entre os espinhos.

29
Oração na festa das mães

*Reunião pública de 12/5/61,
1ª parte, capítulo 5, item 9*

Senhor Jesus!

Junto dos irmãos que reverenciam as mães que os amam, para as quais te rogamos os louros que mereceram, embora atentos à Lei de Causa e Efeito que a Doutrina Espírita nos recomenda considerar, vimos pedir que abençoes também as mães esquecidas, para quem a maternidade se erigiu em purgatório de aflição!...

Pelas que jazem na largueza da noite, conchegando ao peito os rebentos do próprio sangue, para que não morram de frio.

Pelas que estendem as mãos cansadas na praça pública, suplicando, em nome da compaixão, o sustento que o mundo lhes deve à necessidade.

Pelas que se refugiam, nas furnas da natureza, acomodando crianças enfermas entre as fezes dos animais.

Pelas que revolvem latas de lixo, procurando alimento apodrecido de que os próprios cães se afastam com nojo.

Pelas que pintam o rosto, escondendo lágrimas, no impulso infeliz de venderem o próprio corpo a corações desalmados, acreditando erroneamente que só assim poderão medicar os filhos que a enfermidade ameaça com a morte.

Pelas que descobriram calúnia e fel nas bocas que amamentaram.

Pelas que foram desprezadas nos momentos difíceis.

Pelas que se converteram em sentinelas da agonia moral junto aos catres de provação.

Pelas que a viuvez entregou à cobiça de credores inconscientes.

Pelas que enlouqueceram de dor e foram trancadas nos manicômios.

E por aquelas outras que a velhice da carne cobriu de cabelos brancos e, sem ninguém que as quisesse, foram acolhidas como sombras do mundo nos braços da caridade!...

São elas, Senhor, as heroínas da retaguarda, que pagam à Terra os mais altos tributos de sofrimento... Tu que reconfortaste a samaritana e secaste o pranto da viúva de Naim, que restauraste o equilíbrio de Madalena e levantaste a menina de Jairo, recorda as filhas de Jerusalém que te partilharam as agonias da cruz, quando todos te abandonavam, e compadece-te da mulher!...

30
Diante da Lei

*Reunião pública de 15/5/61,
2ª parte, capítulo 3, item 6*

O Espírito consciente, criado através dos milênios nos domínios inferiores da natureza, chega à condição de humanidade depois de haver pagado os tributos que a evolução lhe reclama.

À vista disso, é natural que compreendas que o livre-arbítrio estabelece determinada posição para cada alma, porquanto cada pessoa deve a si mesma a situação em que se coloca.

***

Possuis o que deste.
Granjearás o que vens dando.
Conheces o que aprendeste.
Saberás o que estudas.

Encontraste o que buscavas.
Acharás o que procuras.
Obtiveste o que pediste.
Alcançarás o que almejas.
És hoje o que fizeste contigo ontem.
Serás amanhã o que fazes contigo hoje.

* * *

Chegamos, no dia claro da razão, simples e ignorantes diante do aprimoramento e do progresso, mas com liberdade interior de escolher o próprio caminho.

Todos temos, assim, na vontade a alavanca da vida com infinitas possibilidades de mentalizar e realizar.

O governo do Universo é a justiça que define, em toda parte, a responsabilidade de cada um.

A glória do Universo é a sabedoria, expressando luz nas consciências.

O sustento do Universo é o trabalho que situa cada inteligência no lugar que lhe compete.

A felicidade do Universo é o amor na forma do bem de todos.

O Criador concede às criaturas, no espaço e no tempo, as experiências que desejem, para que se ajustem, por fim, às leis de bondade e equilíbrio que O manifestam. Eis por que permanecer na sombra ou na luz, na dor ou na alegria, no mal ou no bem é ação espiritual que depende de nós.

31
Melhorar

*Reunião pública de 19/5/61,
1ª parte, capítulo 7, § 14*

Sofres constantes vicissitudes e suspiras por melhorar.

De afeições prediletas, colheste calhaus por flores.

Amigos que abraçavas, confiante, voltaram-te o rosto, atirando-te fogo ao peito.

Age, porém, como se nada disso houvesse acontecido e continua distribuindo o pão da bondade.

Observas que o trabalho te pede sacrifício maior.

Tarefas, reconhecidamente dos outros, são relegadas às tuas mãos.

Procede, entretanto, como se os deveres agravados te pertencessem, honrando a casa de responsabilidade e suor, casa que te valoriza a existência.

Apreciações incompletas, que te escaparam da boca, são motivo de comentários que te deprimem.

Reparas, com tristeza, que te pregam às costas o cartaz da ironia.

Caminha, contudo, como se a maldade circulante não existisse, porque, em verdade, os melhores companheiros não têm obrigação de conhecer-te os intentos nobres.

Ações edificantes que iniciaste foram interrompidas com desrespeito.

Retalharam-te o nome e apedrejaram-te a alma.

Segue, no entanto, à frente, como se tudo isso tivesse de suceder mesmo assim, para que refaças as próprias obras no rumo da perfeição.

* * *

Todos trazemos do passado larga bagagem de defeitos e prejuízos.

Alimentá-los ao preço de inquietação e revide seria perpetuar o desequilíbrio e a aflição.

Se aspiras a solucionar os problemas da vida, serve e perdoa, sem condições.

No mundo moral, não existe oposição que resista indefinidamente à força do exemplo.

Se o desânimo te ameaça, desce os olhos e contempla o teu próprio corpo, e o teu próprio corpo dirá em silêncio que, para sustentar-te o espírito, infatigavelmente, ele mesmo vive em regime incessante de serviço e perdão para melhorar.

32
Previdência

Reunião pública de 22/5/61,
1ª parte, capítulo 7, § 26

Há quem pergunte quanto à insistência com que os amigos espirituais se reportam à sublimação da alma.
Aqui, mencionam a reencarnação, exaltando a justiça.
Ali, assinalam a experiência terrestre por escola de aperfeiçoamento moral.
Adiante, ensinam o culto do Evangelho de Jesus com os princípios espíritas no recesso dos lares.
Mais além, destacam a oração por luz da vida íntima.
Por que tamanha preocupação com o futuro dos outros?
Isso, porém, é tão natural quanto qualquer instituto de amparo no plano físico, onde os homens são obrigados a se prevenirem contra as necessidades fatais.

Reúnem-se economistas e administradores, estudando a distribuição dos recursos destinados à alimentação do povo, uma vez que o descaso estabelece consequências de controle difícil.

Higienistas movimentam medidas que assegurem o asseio público, porquanto relegar populações à imundície é favorecer a epidemia destruidora.

Professores fundam escolas em todas as regiões, para que a ignorância não animalize a comunidade.

Milhares de laboratórios manipulam medicamentos de fórmulas diversas, entendendo-se que, sem o apoio da Medicina, as enfermidades limitariam desastrosamente a existência humana.

Sem previdência, qualquer organização ruiria indefesa.

* * *

Enquanto lhes for permitido pela Divina Bondade, as criaturas desencarnadas, despertas para o bem, falarão às criaturas encarnadas quanto aos imperativos da lei do bem. Isso porque todas as paixões inferiores que carregamos para o túmulo são calamidades mentais a valerem por loucura contagiosa e, compreendendo-se que todos somos uma família única, é preciso reconhecer que o desequilíbrio de um só é fator de perturbação que atinge a família inteira.

33
Problema conosco

*Reunião pública de 26/5/61,
1ª parte, capítulo 9, item 20*

Não os criaria Deus à parte.

Os gênios perversos das interpretações religiosas somos nós mesmos, quando adotamos conscientemente a crueldade por trilha de ação.

* * *

Observa as lágrimas dos órfãos e das viúvas ao desamparo.

Há quem as faça correr.

Repara os apetrechos de guerra, estruturados para assaltar populações indefesas.

Há quem os organize.

Anota as rebeliões que se transfiguram em crimes.

Há quem as prepare.
Pensa nos delitos que levantam as penitenciárias de sofrimento.
Há quem os promova.
Medita nas indústrias do aborto.
Há quem as garanta.
Pondera quanto aos movimentos endinheirados do lenocínio.
Há quem os resguarde.
Reflete nos mercados de entorpecentes.
Há quem os explore.

* * *

Enunciando, porém, semelhantes verdades, não acusamos senão a nós mesmos.
A condição moral da Terra é o nosso reflexo coletivo.
Todos temos acertos e desacertos.
Todos temos sombra e luz.
Consciências encarnadas em desvario fazem os desvarios da esfera humana.
Consciências desencarnadas em desequilíbrio geram os desequilíbrios da esfera espiritual.
É por isso que o Evangelho assevera: "Ninguém entrará no reino de Deus sem nascer de novo".
E o Espiritismo acentua: "Nascer, viver, morrer, renascer de novo e progredir continuamente, tal é a lei".
Em suma, isso quer dizer que ninguém conseguirá desertar da luta evolutiva.
Continuemos, pois, vigilantes no serviço do próprio burilamento, na certeza de que o amor puro liquidará os infernos quando nós, que temos sido inteligências transviadas nos domínios da ignorância, estivermos sublimados pela força da educação.

34
Lugar depois da morte

Reunião pública de 29/5/61,
1ª parte, capítulo 7, § 1º

Muitas vezes, perguntas, na Terra, para onde seguirás quando a morte venha a surgir...

Anseias, decerto, a ilha do repouso ou o lar da união com aqueles que mais amas...

Sonhas o acesso à felicidade, à maneira da criança que suspira pelo colo materno...

Isso, porém, é fácil de conhecer.

Toda pessoa humana é aprendiz na escola da evolução, sob o uniforme da carne, constrangida ao cumprimento de certas obrigações: nos compromissos do plano familiar; nas responsabilidades da vida pública; no campo dos negócios materiais; na luta pelo próprio sustento...

O dever, no entanto, é impositivo da educação que nos obriga a parecer o que ainda não somos, para sermos, em liberdade, aquilo que realmente devemos ser.

Não olvides, assim, enobrecer e iluminar o tempo que te pertence.

* * *

Não nos propomos nivelar homens e animais; contudo, numa comparação reconhecidamente incompleta, imaginemos seres outros da natureza trazidos ao regime do Espírito encarnado na esfera física.

O cavalo atrelado ao carro, quando entregue ao descanso, corre à pastagem, onde se refocila na satisfação dos próprios impulsos.

A serpente, presa para cooperar na fabricação de soro antiofídico, se for libertada, desliza para a toca, onde reconstituirá o próprio veneno.

O corvo, detido para observações, quando solto, volve à imundície.

A abelha, retida em observação de apicultura, ao desembaraçar-se, torna, incontinente, à colmeia e ao trabalho.

A andorinha engaiolada para estudo, tão logo se veja fora da grade, voa no rumo da primavera.

Se desejas saber quem és, observa o que pensas quando estás sem ninguém; e se queres conhecer o lugar que te espera depois da morte, examina o que fazes contigo mesmo nas horas livres.

35
Palavras de esperança

*Reunião pública de 2/6/61,
1ª parte, capítulo 11, item 8*

Se não admites a sobrevivência depois da morte, interroga aqueles que viram partir os entes mais caros.

Inquire os que afagaram as mãos geladas de pais afetuosos nos últimos instantes do corpo físico; sonda a opinião das viúvas que abraçaram os esposos na longa despedida, derramando as agonias do coração no silêncio das lágrimas; informa-te com os homens sensíveis que sustentaram nos braços as companheiras emudecidas, tentando, em vão, renovar-lhes o hálito na hora extrema; procura a palavra das mães que fecharam os olhos dos próprios filhos, tombados inertes nas primaveras da juventude ou nos brincos da infância... Pergunta aos que carregaram um esquife, como quem sepulta sonhos e aspirações no gelo do desalento, e indaga dos que choram sozinhos, junto às cinzas de um túmulo, perguntando por quê...

Eles sabem, por intuição, que os mortos vivem e reconhecem que, apenas por amor deles, continuam igualmente a viver.

Sentem-lhes a presença no caminho solitário em que jornadeiam, escutam-lhes a voz inarticulada com os ouvidos do pensamento e prosseguem lutando e trabalhando, simplesmente por esperarem os supremos regozijos do reencontro.

* * *

Se um dia tiveres fome de maior esperança, não temas, assim, rogar a inspiração e a assistência dos corações amados que te precederam na grande viagem. Estarão contigo a sustentarem-te as energias nas tarefas humanas quais estrelas no céu noturno da saudade, a fim de que saibas aguardar, pacientemente, as luzes da alva.

Busca-lhes o clarão de amor nas asas da prece e, se nos templos veneráveis do Cristianismo, alguém te fala de Moisés, reprimindo as invocações abusivas de um povo desesperado, lembra-te de Jesus ao regressar do sepulcro para a intimidade dos amigos desfalecentes, exclamando em transportes de júbilo: "A paz seja convosco".

36
Lei do mérito

*Reunião pública de 5/6/61,
1ª parte, capítulo 8, item 15*

Se presumes que Deus cria seres privilegiados para incensar-lhe a grandeza, pensa na Justiça antes da adoração.

Para isso, basta lembrar as circunstâncias constrangedoras em que desencarnaram quase todos os grandes vultos das Ciências, das Religiões e das Artes, que marcaram as ideias do mundo, nas linhas da emoção e da inteligência.

Dante, exilado.

Leonardo da Vinci, semiparalítico.

Colombo, em desvalimento.

Fernão de Magalhães, trucidado.

Galileu, escarnecido.

Behring, faminto.

Lutero, perseguido.

Calvino, endividado.
Vicente de Paulo, paupérrimo.
Spinoza, indigente.
Milton, privado da visão.
Lavoisier, guilhotinado.
Beethoven, surdo.
Mozart, em penúria extrema.
Braille, tuberculoso.
Lincoln, assassinado.
Joule, inválido.
Curie, esmagado sob as rodas de um carro.
Lilienthal, num desastre de aviação.
Pavlov, cego.
Gandhi, varado a tiros.
Gabriela Mistral, cancerosa.

E se gênios da altura de Hugo e Pasteur, Edison e Einstein partiram da Terra menos dolorosamente, é forçoso reconhecer que passaram, entre os homens, também sofrendo e lutando, junto à bigorna do trabalho constante.

Cada consciência é filha das próprias obras.
Cada conquista é serviço de cada um.
Deus não tem prerrogativas ou exceções.
Toda glória tem preço.
É a lei do mérito de que ninguém escapa.

37
Aprender e refazer

*Reunião pública de 9/6/61,
1ª parte, capítulo 9, item 21*

Todos os Espíritos desencarnados que se atrasam em pesadelos da revolta acordam um dia.

Surge-lhes o arrependimento no âmago do ser, em lágrimas jubilosas, quais se fossem prisioneiros repentinamente libertos.

Derruída a masmorra de trevas em que jaziam encadeados, respiram, enfim, a grande emancipação junto dos amigos que lhes estendem os braços. Observam, porém, a sombra que ainda carregam, contrastando com a luz em que se banham transfigurados e que suspiram por merecer; sentem-se, aí, na condição de pássaros mutilados a reconhecerem o valor da experiência física em que lhes cabe refazer as próprias asas e volvem, ansiosos, à procura do antigo ninho de serviço e de amor que os alente e restaure. Quase sempre, contudo, ensejos passaram, paisagens queridas alteraram-se totalmente, facilidades sumiram e afetos abandonados evoluíram noutros rumos...

Ainda assim, é necessário lutar na conquista do recomeço.

Personalidades do poder transitório que abusaram do povo assistem às privações das classes humildes, verificando o martírio silencioso dos que se levantam cada dia para a contemplação da própria miséria; avarentos que rolaram no ouro regressam às paredes amoedadas dos descendentes, acompanhando os mendigos que lhes recorrem à caridade, anotando quanto dói suplicar migalha a corações petrificados no orgulho; escritores que se faziam especialistas da calúnia ou do escândalo tornam à presença dos seus próprios leitores, examinando os entorpecentes e corrosivos mentais que segregavam, impunes; pais e mães displicentes ou desumanos voltam ao reduto doméstico dos rebentos desorientados, considerando as raízes da viciação ou da crueldade, plantadas por eles mesmos; malfeitores que caíram na delinquência socorrem as vítimas de criminosos vulgares, avaliando os processos de sofrimento com que supliciavam a carne e a alma dos semelhantes...

Mas isso não basta.

Depois do aprendizado, é preciso retomar o campo de ação, renascer e ressarcir, progredir e aprimorar, solvendo débito por débito perante a Lei.

* * *

Companheiro do mundo, se o conhecimento da reencarnação já te felicita, sabes que a existência na Terra é preciosa bolsa de trabalho e de estudo com amplos recursos de pagamento.

Assim, pois, seja qual for a provação que te assinala o caminho, sofre, amando, e agradece a Deus.

38
Pessoalmente

*Reunião pública de 12/6/61,
1ª parte, capítulo 7, § 13*

Toda produção tem alicerces na unidade.

As máquinas que se padronizam para esse ou aquele gênero de trabalho, mesmo que se pareçam entre si, são aparelhos que se individuam distintamente.

As árvores, embora revelem as características da espécie a que se filiam, têm existência própria.

Os alunos de um estabelecimento de ensino partilham lições iguais na classe a que se ajustam; no entanto, reagem de modo particular diante do estudo e classificam-se com notas diferentes.

Catalogam-se enfermos num hospital segundo os sintomas que apresentam; contudo, cada um exige ficha determinada e tem o seu problema resolvido no momento exato.

Surgem máquinas e constrói-se a oficina.

Repontam árvores e alteia-se a floresta.

Congregam-se aprendizes e levanta-se a escola.

Alinham-se doentes e a casa de saúde aparece.

Recorremos, porém, a semelhantes imagens para destacar que o Inferno, considerado como localidade inferior ou estância de suplício depois da morte, começa em cada um e comunica-se, pessoalmente, de Espírito desvairado a Espírito desvairado.

Não haveria penitenciária se não houvesse delinquente.

Notemos, ainda, que, se a ciência médica no mundo ergue caridosamente o manicômio para socorrer a loucura, a Providência Divina permite a colonização dos seres bestializados, além do túmulo, em regiões específicas do Espaço, para limitação e tratamento das calamidades mentais em que se projetaram ou que fizeram por merecer.

Desse modo, que nenhum de nós se esqueça da Lei de Ação e Reação.

Isso porque a falta que depende de nós chega antes, e o sanatório que a corrige chega depois.

39
Ora e serve

Reunião pública de 16/6/61,
1ª parte, capítulo 3, item 7

Afirmas que o progresso, exprimindo felicidade e aprimoramento, é o porto a que te destinas no mar da experiência terrestre, mas, se cultivas sinceridade e decisão contigo mesmo, abraça o trabalho e a prece como sendo a embarcação e a bússola do caminho.

Rochedos de incompreensão escondem-se, traiçoeiros, sob a crista das ondas, ameaçando-te a rota.

No entanto, ora e serve.

A prece ilumina.

O trabalho liberta.

Monstros do precipício surgem à tona, inclinando-te à perturbação e ao soçobro.

Contudo, ora e serve.

A prece guia.

O trabalho defende.

Tempestades de aflição aparecem de chofre, vergastando-te o refúgio.

Entretanto, ora e serve.

A prece reanima.

O trabalho restaura.

Companheiros queridos que te suavizavam as agruras da marcha desembarcam nas ilhas de enganoso descanso, deixando-te as mãos sob multiplicados encargos.

Todavia, ora e serve.

A prece consola.

O trabalho sustenta.

Em todos os problemas e circunstâncias que te pareçam superar o quadro das próprias forças, ora e serve.

A prece é silêncio que inspira.

O trabalho é atividade que aperfeiçoa.

O viajor mais importante da Terra também passou pelo oceano do suor e das lágrimas, orando e servindo. Tão escabrosa lhe foi a peregrinação entre os homens, que não sobrou amigo algum para compartilhar-lhe espontaneamente os júbilos da chegada pelo escaler em forma de cruz. Tão alto, porém, acendeu ele a flama da prece, que pôde compreender e desculpar os próprios algozes, e tão devotadamente se consagrou ao trabalho, que conseguiu vencer os abismos da morte e voltar aos braços dos amigos vacilantes, como a repetir-lhes em regozijo e vitória: "Tende bom ânimo! Eu estou aqui".

40
Divino amparo

Reunião pública de 16/6/61,
1ª parte, capítulo 10, item 16

Se acreditas que o hálito das entidades angélicas bafeja exclusivamente os cultivadores da virtude, medita na Providência Divina, que honra o Sol, na grandeza do Espaço, mas induzindo-o a sustentar os seres que ainda jazem colados à crosta do Planeta, inclusive os últimos vermes que rastejam no chão.

Contempla os quadros que te circundam em todas as direções e reconhecerás o Amor Infinito buscando suprimir, em silêncio, as situações deprimentes da natureza.

Cachoeiras cobrem abismos.
Fontes alimentam a terra seca.
Astros clareiam o céu noturno.
Flores valorizam espinheirais.

* * *

No campo de pensamento em que estagias, surpreenderás esse mesmo Infinito Amor, procurando extinguir as condições inferiores da Humanidade.
Pais transfigurados em gênios de ternura.
Professores desfazendo as sombras da ignorância.
Médicos a sanarem doenças.
Almas generosas socorrendo a necessidade.

* * *

Não estranhes, assim, a atitude dos Espíritos benevolentes que estendem as mãos, por meio da mediunidade, a companheiros do mundo que te pareçam indignos.

Recorda os lírios que desabrocham no estrume, as mães que se escravizam por sublime renúncia ao pé de filhos ingratos e, mesmo diante do irmão reconhecidamente criminoso ou viciado que te fale de esperanças e consolações recebidas do Alto, aprende a respeitar, junto dele, a manifestação da Esfera Superior que o solicita à renovação para o bem, tanto quanto já sabes rejubilar-te perante a luz que dissipa as trevas. E se alguém dogmatiza acerca de supostos privilégios na Criação, não olvides que o Criador é Bondade e Justiça para todas as criaturas, refletindo no Cristo, que asseverou claramente não ter vindo à Terra para curar os sãos.

41
Bem de todos

*Reunião pública de 23/6/61,
1ª parte, capítulo 3, item 16*

Todos os bens fundamentais da existência fluem, generosos, da natureza para benefício de todas as criaturas.

A luz que se derrama do firmamento não é patrimônio particular.

As correntes aéreas são agentes alimentícios inesgotáveis.

Mares amigos banham todos os continentes.

Correm fontes em todas as direções.

Surgem plantas para todos os climas.

E, no próprio corpo, o sangue há de circular, incessante, para que a inteligência possa viver.

* * *

Não retenhas, assim, os valores que entesouraste.

Não desconheces que o pão excessivo é o prato do vizinho em necessidade.

Entretanto, há diferentes recursos por dividir.

Ladeando mesas fartas, há corações semissufocados no desespero.

Por trás dos gestos que te golpeiam, há tramas obscuras de obsessão.

Na retaguarda dos crimes que te revoltam, há influências que não desvelas de pronto.

Quem errou sofre estorvos que te escapam à senda.

Quem calunia ou persegue ignora o que sabes.

Descerra as portas do coração para compreender e servir, repartindo os bens que ajuntaste no espírito.

* * *

A felicidade, para ser verdadeira, deve ser partilhada.

O ouro, nas mãos de um só homem, é moldura da sovinice, mas passando para outras mãos é trabalho e beneficência.

O conhecimento isolado é lâmpada sem proveito; contudo, transitando de cérebro a cérebro, é ciência e cultura.

Entre as sombras dos que reclamam e azedam, malquistam e ferem, sê a luz que abençoa sempre.

"Faze ao outro o que desejas seja feito pelo outro a ti próprio" — diz a Lei.

Isso quer dizer que alguém, para ser feliz, precisa ajudar alguém.

Felicidade, no fundo, é bondade crescente, para que a alegria se faça maior. E, sem dúvida, todos nós podemos dividir parcelas de bondade e alegria, mas a multiplicação vem dos outros.

42
Desligamento do mal

Reunião pública de 26/6/61,
1ª parte, capítulo 7,
As penas futuras segundo o espiritismo

Antes da reencarnação, no balanço das responsabilidades que lhe competem, a mente, acordada perante a Lei, não se vê apenas defrontada pelos resultados das próprias culpas. Reconhece, também, o imperativo de libertar-se dos compromissos assumidos com os sindicatos das trevas.

Para isso, partilha estudos e planos referentes à estrutura do novo corpo físico que lhe servirá por degrau decisivo no reajuste e coopera, quanto possível, para que seja ele talhado à feição de câmara corretiva, na qual se regenere e, ao mesmo tempo, se isole das sugestões infelizes, capazes de lhe arruinarem os bons propósitos.

Patronos da guerra e da desordem, que esbulhavam a confiança do povo, escolhem o próprio encarceramento na idiotia em que se façam despercebidos pelos antigos comparsas das orgias de sangue e loucura, por eles mesmos transformados em lobos inteligentes; tribunos ardilosos da opressão e caluniadores empeçonhados pela malícia pedem o martírio silencioso dos surdos-mudos, em que se desliguem, pouco a pouco, dos especuladores do crime, a cujo magnetismo degradante se rendiam, inconscientes; cantores e bailarinos de prol, imanizados a organizações corrompidas, suplicam empeços na garganta ou pernas cambaias, a fim de não mais caírem sob o fascínio dos empreiteiros da delinquência; espiões que teceram intrigas de morte e artistas que envileceram as energias do amor imploram olhos cegos e estreiteza de raciocínio, receosos de voltar ao convívio dos malfeitores que, um dia, elegeram por associados e irmãos de luta mais íntima; criaturas insensatas, que não vacilavam em fazer a infelicidade dos outros, solicitam nervos paralíticos ou troncos mutilados que os afastem dos quadrilheiros da sombra, com os quais cultivavam rebeldia e ingratidão; e homens e mulheres que se brutalizaram no vício rogam a frustração genésica e, ainda, o suplício da epiderme deformada ou purulenta que provoque repugnância e consequente desinteresse dos vampiros, em cujos fluidos aviltados e vômitos repelentes se comprazam nos prazeres inferiores.

Se alguma enfermidade irreversível te assinala a veste física, não percas a paciência e aguarda o futuro. E se trazes alguém contigo, portando essa ou aquela inibição, ajuda esse alguém a aceitar semelhante dificuldade como sendo a luz de uma bênção.

Para todos nós, que temos errado infinitamente no caminho longo dos séculos, chega sempre um minuto em que suspiramos, ansiosos, pela mudança de vida, fatigados de nossas próprias obsessões.

43
Corrigir e pagar

*Reunião pública de 30/6/61,
1ª parte, capítulo 7, § 3*

Cada hora no relógio terrestre é um passo do tempo, impelindo-te às provas de que necessitas para a sublimação do teu destino.

* * *

Exclamas no momento amargoso: "Dia terrível!".
Esse, porém, é o minuto em que podes revelar a tua grandeza.
À frente da família atribulada, costumas dizer: "O parente é uma cruz".
Tens, contudo, no lar, o cadinho que te aprimora.
Censurando o companheiro que desertou, repetes, veemente: "Nem quero vê-lo".

No entanto, esse é o amigo que te instrui nos preceitos do silêncio e da tolerância.

Lembrando o recinto em que alguém te apontou o caminho das tuas obrigações, asseveras em desconsolo: "Ali não mais ponho os pés".

Todavia, esse é o lugar justo para a humildade que ensinas.

Quando as circunstâncias te levam à presença daqueles mesmos que te feriram, foges anunciando: "Não tenho forças".

Entretanto, essa é a luminosa oportunidade de pacificação que a vida te oferta.

Se sucumbes às tentações, alegas, renegando o dever: "Seja virtuoso quem possa".

Mas esse é o instante capaz de outorgar-te os louros da resistência.

* * *

Toda conquista na evolução é problema natural de trabalho, porque todo progresso tem preço; no entanto, o problema crucial que o tempo te impõe é débito do passado, que a lei te apresenta à cobrança.

Retifiquemos a estrada, corrigindo a nós mesmos.

Resgatemos nossas dívidas, ajudando e servindo sem distinção.

Tarefa adiada é luta maior, e toda atitude negativa, hoje, diante do mal, será juro de mora no mal de amanhã.

44
Divina presença

Reunião pública de 3/7/61,
1ª parte, capítulo 6, item 12

Quando nasceste na Terra, assemelhavas-te ao pássaro semimorto que a tormenta arremessa em esquecida concha da praia, mas apareceu sobre-humana ternura num coração de mulher e foste, pelas maternas mãos, lavado e alimentado milhares de vezes, simplesmente por amor, a fim de recuperares a consciência; quando o véu da ingenuidade infantil te empanava a cabeça, afligindo os que mais te amavam, o professor percebeu a inteligência que te fulgia no olhar e entregou-te a riqueza imarcescível da escola; nos dias da primeira mocidade, quando a despreocupação parecia anular-te a existência, amigos notaram o caráter que te brilhava nos gestos e integraram-te a vida nos dons do trabalho; na enfermidade, quando muitos duvidavam da tua capacidade de reerguimento, o médico verificou que uma força sublime te atuava nas mais íntimas células e estendeu-te, confiante, o remédio eficaz; nas horas difíceis de incompreensão, ouviste, em meio das próprias lágrimas, inarticuladas canções de conforto e esperança, exortando-te à paciência e à alegria...

Por onde segues, assinalas a luz invisível que te clareia todos os pensamentos... Se sofres, é o apoio que te resguarda; se erras, é a voz que te corrige; se vacilas, é o braço que te sustenta, e se te encontras em solidão, é a companhia que te consola...

Aprendamos a amar e a respeitar esse Alguém, como quem sabe que estamos Nele como o fruto na árvore, e, se caíste tão fundo que todos os afetos te hajam abandonado, mesmo aí, nas dores da culpa, recorda que a justiça te golpeia e purifica em direitura do supremo resgate, porque nunca estiveste distante da presença de Deus.

45
Penas depois da morte

*Reunião pública de 7/7/61,
1ª parte, capítulo 6, item 18*

    Diante do antigo dogma das penas eternas, cuja criação a teologia terrestre atribui ao Criador, examinemos o comportamento do homem — criatura imperfeita — perante as criações estruturadas por ele mesmo.

    Determinada companhia de armadores constrói um navio; contudo, não o arremessa ao mar sem a devida assistência. Comandantes, pilotos, maquinistas e marinheiros constituem-lhe a equipagem para que atenda dignamente aos seus fins. Quando alguma brecha surge na embarcação, ninguém se lembra de arrojá-la ao fundo. Ao revés, o socorro habitual envida o máximo esforço, de modo a recuperá-la. E se algum sinistro sobrevém, doloroso e inevitável, o assunto é motivo para vigorosos estudos, a fim de que novos barcos se levantem amanhã em mais alto nível de segurança.

Na mesma diretriz, o avião conta com mecânicos adestrados em cada estação de pouso; o automóvel dispõe, na estrada, dos postos de abastecimento; a locomotiva transita sobre trilhos certos e chaves condicionadas; a fábrica produz com supervisores e técnicos; o hospital funciona com médicos e enfermeiros; e a habitação recolhe o amparo de engenheiros e higienistas.

Em todas as formações humanas respeitáveis, tudo está previsto, de maneira que o trabalho seja protegido e os erros retificados, com aproveitamento de experiência e sucata, sempre que esse ou aquele edifício e essa ou aquela máquina entrem naturalmente em desuso.

Isso acontece entre os homens, cujas obras estão indicadas pelo tempo à incessante renovação.

Em matéria, pois, de castigos, depois da morte, reflitamos, sim, na justiça da Lei, que determina realmente seja dado a cada um conforme as próprias obras; entretanto, acima de tudo e em todas as circunstâncias, aceitemos Deus, na definição de Jesus, que no-lo revelou como sendo o "Pai nosso que está nos Céus".

46
Tarefas humildes

*Reunião pública de 31/7/61,
1ª parte, capítulo 8, item 13*

Anseias, em verdade, pela grande sublimação.

Anotaste a biografia dos paladinos da solidariedade e ambicionas comungar-lhes a experiência.

Choraste, sob forte emoção, ao conhecer-lhes a vida nos lances mais duros e quiseras igualmente desprender o coração de todos os laços inferiores.

* * *

Recordas Vicente de Paulo, o herói da beneficência, olvidando possibilidades de dominação política, a fim de proteger os necessitados.

Pensas em Florence Nightingale, a mulher admirável que esteve quase um século entre os homens, dedicando-se aos feridos e aos doentes sem quaisquer intenções subalternas.

Refletes em Damião, o apóstolo que se esqueceu da própria mocidade, para entregar-se ao conforto dos nossos irmãos enfermos de Molokai.

Meditas em Gandhi, o missionário da não violência, que renunciou a todos os privilégios, a fim de ajudar a libertação do povo.

* * *

Sabes que todos os campeões da fraternidade no mundo nunca se acomodaram à expectação improdutiva. Em razão disso, estimarias seguir-lhes, imediatamente, o rastro luminoso; entretanto, trazes ainda a alma presa a pequeninas obrigações que não podes menosprezar... Não te amofines, porém, diante delas. Todas as dificuldades e todos os dissabores do caminho terrestre são provas e medidas da tua capacidade moral para a Estrada Gloriosa.

Chão relvoso é começo de floresta.

Humanidade é sementeira de angelitude.

Penetremos o bem verdadeiro para que o bem verdadeiro penetre em nós.

É indispensável que o Espírito aprenda a ser grande nas tarefas humildes, para que saiba ser humilde nas grandes tarefas.

Na relatividade dos conceitos humanos, ninguém, na Terra, pode ser bom para todos; contudo, ninguém existe que não possa iniciar-se, desde já, na virtude, sendo bom para alguém.

47
Perdoados, mas não limpos

*Reunião pública de 4/8/61,
1ª parte, capítulo 7, § 24*

Em nossas faltas, na maioria das vezes, somos imediatamente perdoados, mas não limpos.

Fomos perdoados pelo fel da maledicência, mas a sombra que tencionávamos esparzir na estrada alheia permanece dentro de nós por agoniado constrangimento.

Fomos perdoados pela brasa da calúnia, mas o fogo que arremessamos à cabeça do próximo passa a incendiar-nos o coração.

Fomos perdoados pelo corte da ofensa, mas a pedra atirada aos irmãos do caminho volta, incontinente, a lanhar-nos o próprio ser.

Fomos perdoados pela falha de vigilância, mas o prejuízo em nossos vizinhos cobre-nos de vergonha.

Fomos perdoados pela manifestação de fraqueza, mas o desastre que provocamos é dor moral que nos segue os dias.

Fomos perdoados por todos aqueles a quem ferimos no delírio da violência, mas, onde estivermos, é preciso extinguir os monstros do remorso que os nossos pensamentos articulam, desarvorados.

* * *

Chaga que abrimos na alma de alguém pode ser luz e renovação nesse mesmo alguém, mas será sempre chaga de aflição a pesar-nos na vida.

Injúria aos semelhantes é azorrague mental que nos chicoteia.

A serpente carrega consigo o veneno que veicula.

O escorpião guarda em si próprio a carga venenosa que ele mesmo segrega.

* * *

Ridicularizados, atacados, perseguidos ou dilacerados, evitemos o mal, mesmo quando o mal assuma a feição de defesa, porque todo o mal que fizermos aos outros é mal a nós mesmos.

Quase sempre aqueles que passaram pelos golpes de nossa irreflexão já nos perdoaram, incondicionalmente, fulgindo nos planos superiores; no entanto, pela lei de correspondência, ruminamos, por tempo indeterminado, os quadros sinistros que nós mesmos criamos.

Cada consciência vive e evolve entre os seus próprios reflexos.

É por isso que Allan Kardec afirmou, convincente, que, depois da morte, até que se redima no campo individual, "para o criminoso a presença incessante das vítimas e das circunstâncias do crime é suplício cruel".

48
Doenças da alma

*Reunião pública de 7/8/61,
1ª parte, capítulo 7, item 7*

Na forja moral da luta em que temperas o caráter e purificas o sentimento, é possível que acredites que estejas sempre no trato de pessoas normais, simplesmente porque se mostrem com a ficha de sanidade física.

Entretanto, é preciso pensar que as moléstias do espírito também se contam.

O companheiro que te fala, aparentemente tranquilo, talvez guarde no peito a lâmina esbraseada de terrível desilusão.

A irmã que te recebe, sorrindo, provavelmente carrega o coração ensopado de lágrimas.

Surpreendeste amigos de olhos calmos e frases doces, dando-te a impressão de controle perfeito, que soubeste, mais tarde, estarem caminhando na direção da loucura.

Enxergaste outros, promovendo festas e estadeando poder, a escorregarem, logo após, no engodo da delinquência.

É que as enfermidades do espírito atormentam as forças da criatura em processos de corrosão inacessíveis à diagnose terrestre.

Aqui, o egoísmo sombreia a visão; ali, o ódio empeçonha o cérebro; acolá, o desespero mentaliza fantasmas; adiante, o ciúme converte a palavra em látego de morte...

* * *

Não observes os semelhantes pelo caleidoscópio das aparências.

É necessário reconhecer que todos nós, Espíritos encarnados e desencarnados em serviço na Terra, ante o volume dos débitos que contraímos nas existências passadas, somos doentes em laboriosa restauração.

O mundo não é apenas a escola, mas também o hospital em que sanamos desequilíbrios recidivantes, nas reencarnações regenerativas, por meio do sofrimento e do suor, a funcionarem por medicação compulsória.

Deixa, assim, que a compaixão retifique em ti próprio os velhos males que toleras nos outros.

Se alguém te fere ou desgosta, debita-lhe o gesto menos feliz à conta da moléstia obscura de que ainda se faz portador.

Se cada pessoa ofendida pudesse ouvir a voz inarticulada do Céu no instante em que se vê golpeada, escutaria, de pronto, o apelo da Misericórdia Divina: "Compadece-te!".

Todos somos enfermos pedindo alta.

Compadeçamo-nos uns dos outros, a fim de que saibamos auxiliar.

E mesmo que te vejas na obrigação de corrigir alguém — pelas reações dolorosas das doenças da alma que ainda trazemos —, compadece-te mil vezes antes de examinar uma só.

49
Por nós mesmos

Reunião pública de 11/8/61,
1ª parte, capítulo 7, § 18

Quando a morte do corpo terrestre nos conduz à sociedade dos Espíritos, muitas vezes somos cercados pelo amor puro a mergulhar-nos em divino clarão.

Antigos afetos que o tempo não nos riscou da memória ressurgem, de improviso, envolvendo-nos na melodia da ventura ideal; amigos a quem supúnhamos haver servido com algum pequenino gesto beneficente repontam do dia novo, descerrando-nos os braços; sorrisos espontâneos, por flores de carinho, desabrocham em semblantes nimbados de esplendor.

Quase sempre, contudo, ai de nós!... Reconhecemo-nos no festival da alegria perfeita à feição de lodo movente, injuriando o carro solar. Quanto mais a bondade fulgura em torno, mais nos oprime o peso da frustração.

Temos o peito qual violino de barro, que não consegue responder ao arco de estrelas que nos tange as cordas desafinadas, e, do coração, semelhante a címbalo morto, apenas arrancamos lágrimas de profundo arrependimento para chorar.

Lamentamos, então, as lutas recusadas e as oportunidades perdidas! Deploramos a passada rebeldia ante os apelos do bem, que nos teriam conquistado merecimento e a fuga deliberada aos testemunhos de humildade, que nos haveriam propiciado renovação.

Sentimo-nos amparados por indizíveis exaltações de claridade e ternura; no entanto, por dentro, carregamos ainda remorso e necessidade.

É assim que nos excluímos, por nós mesmos, da assembleia gloriosa, suplicando o retorno às arenas do mundo, até que a reencarnação nos purifique, nas aquisições de experiência e valor.

* * *

Alma que choras na teia física, louva o tronco de sofrimento a que te encontras temporariamente agrilhoada na Terra!

Abençoa os espinhos que te laceram.

Abençoa o pranto que te lava os escaninhos do ser.

Executa com paciência o trabalho que a vida te pede, porque, um dia, os companheiros amados que te precederam na vanguarda de luz estarão contigo em preces de triunfo a desatarem-te as últimas algemas, de modo a que lhes partilhes os cânticos de vitória na grande libertação.

50
Bem que nos falta

*Reunião pública de 14/8/61,
1ª parte, capítulo 7, § 4*

No estudo da perfeição, comecemos por vigiar a nós mesmos, corrigindo-nos em tudo aquilo que nos desagrada nos semelhantes.

Muitos pregam contra o desperdício dos administradores da causa pública e instalam-se, entre as paredes domésticas, como se devessem atravessar a existência numa carruagem de luxo, sobre lixo dourado.

Outros criticam autoridades, apontando-as por verdugos do povo, e tiranizam, no lar, as mãos obscuras e generosas que lhes amassam o pão.

Vemos os que amaldiçoam a guerra entre os povos, e vivem, no aprisco familiar, com a truculência da fera solta.

Há os que indicam a pena de morte para os irmãos que enlouqueceram na delinquência, e manejam, em casa, o punhal invisível da ingratidão.

Muitos lideram primorosas campanhas de socorro à infância desprotegida, e enxotam, por vagabundo, o primeiro menino infortunado que lhes roga um vintém.

Outros guardam a enciclopédia na cabeça e jamais se lembram de estender o alfabeto ao companheiro atrelado à ignorância.

Vemos os que cantam hosanas à virtude e encastelam-se no conforto individual, afirmando que a caridade é fábrica de preguiça.

E há os que ensinam sabiamente, quanto à bondade e à simpatia, a se movimentarem, na senda particular, despedindo farpas magnéticas entre melindres e aversões.

* * *

Nestes apontamentos humildes, a ninguém censuramos, uma vez que, com evidentes exceções, até ontem éramos todos nós igualmente assim. Hoje, porém, com a Doutrina Espírita no comando da fé, sabemos todos que a Lei do Progresso confere a cada Espírito a possibilidade de adquirir o bem que lhe falta, a fim de que a justiça estabeleça o merecimento de cada um na pauta das próprias obras.

Conjuguemos, assim, conselho e ação, palavra e conduta, na mesma onda de serviço renovador, compreendendo, por fim, que o bem que nos falta nem sempre é o bem que ainda não desfrutamos, mas sim o bem dos outros que, em nosso próprio benefício, nos cabe fazer.

51
Nas leis do destino

*Reunião pública de 18/8/61,
1ª parte, capítulo 7, item 15*

Não digas que Deus sentencia alguém a torturas eternas.

Tanto quanto podemos perceber o pensamento divino, imanente em todos os seres e em todas as coisas, o Criador se manifesta a nós outros — criaturas conscientes, mas imperfeitas — por meio de leis que lhe expressam os objetivos no rumo do Bem Supremo.

Essas leis, na feição primitiva, podem ser abordadas nos processos rudimentares do campo físico.

O fogo é agente precioso da evolução nos limites em que deve ser conservado; entretanto, se colas a mão no braseiro, é natural que incorras, de imediato, nas consequências.

A máquina é apêndice do progresso; contudo, se não lhe atendes as necessidades, sofrerás, para logo, os resultados desastrosos da negligência ou da indisciplina.

Ocorre o mesmo nos planos da consciência.

Na matemática do Universo, o destino dar-nos-á sempre daquilo que lhe dermos.

* * *

É inútil que dignitários desse ou daquele princípio religioso te pintem o Todo-Perfeito por soberano purpurado, suscetível de encolerizar-se por falta de vassalagem ou envaidecer-se à vista de adulações.

Os que procedem assim podem estar movidos de santos propósitos ou piamente magnetizados por lendas e tradições respeitáveis que o tempo mumificou, mas se esquecem de que, mesmo ante as leis dos homens, pessoa alguma consegue furtar, moralmente, o merecimento ou a culpa de outra.

Deus é amor. Amor que se expande do átomo aos astros. Mas é justiça também. Justiça que atribui a cada Espírito segundo a própria escolha. Sendo amor, concede à consciência transviada tantas experiências quantas deseje a fim de retificar-se. Sendo justiça, ignora quaisquer privilégios que lhe queiram impor.

* * *

Não afirmes, desse modo, que Deus bajula ou condena.

Recorda que não podes raciocinar pelo cérebro alheio, e nem comer pela boca do próximo.

O Criador criou todas as criaturas para que todas as criaturas se engrandeçam. Para isso, sendo amor, repletou-lhes o caminho de bênçãos e luzes e, sendo justiça, determinou que possuísse cada um de nós vontade e razão.

A vida, assim, aqui ou além, será sempre o que nós quisermos.

E não sofismemos a palavra de Jesus, quando prometeu ao companheiro de sofrimento, no Calvário, que estaria com ele no paraíso, como poderia estar em qualquer instituto de educação, no Mundo Espiritual, porque foi o próprio Cristo quem nos informou, de maneira incisiva, que o reino de Deus está dentro de nós.

52
Ante os Mundos Superiores

*Reunião pública de 21/8/61,
1ª parte, capítulo 3, item 11*

Quando nos referirmos aos mundos superiores, recordemos que a Terra, um dia, formará entre eles por estância divina. Atualmente, no entanto, apesar das magnificências que laureiam a civilização em todos os continentes, não podemos alhear-nos do preço que pagará pela promoção.

Sem dúvida, os campos ideológicos da vida internacional entrarão em conflitos encarniçados pelo domínio. As nuvens de ódio que se avolumam, na psicosfera do Planeta, rebentarão em tormentas arrasadoras sobre as comunidades terrestres. Contudo, as vibrações do sofrimento coletivo funcionarão por radioterapia na esfera da alma, sanando a alienação mental dos povos que sustentam as chagas da miséria, em nome da ideia de Deus, e daqueles outros que pretendem extirpá-las, banindo a ideia de

Deus das próprias cogitações. Engenhos de extermínio desintegrarão os quistos raciais e as cadeias que amordaçam o pensamento, remediando as agonias econômicas da Humanidade e dissipando as correntes envenenadas do materialismo a estender-se por afrodisíaco da irresponsabilidade moral.

* * *

Enunciando, porém, semelhantes verdades, é forçoso dizer que não somos profetas do belicismo, nem Cassandras do terror.

Examinamos simplesmente o quadro escuro que as nações poderosas organizaram e que lhes atormenta, hoje, os gabinetes de governança, ainda mesmo quando se esforçam por disfarçá-lo nos banquetes políticos e nos votos de paz.

E, ao fazê-lo, desejamos apenas asseverar a nossa fé positiva no grande futuro, quando o homem, superior a todas as contingências, respirar, enfim, livre dos polvos da guerra, que lhe sugam as energias e lhe entornam inutilmente o sangue em esgotos de lágrimas.

* * *

Abrindo as estradas do Espírito para essa era de luz, abracemos a charrua do suor, pela vitória do bem, seja qual for o nosso setor de ação.

Obreiros da imortalidade, contemplaremos os habitantes da Terra a emergirem de todos os escombros com que pretendam sepultar-lhes as esperanças, elevando-se em direitura de outras plagas do universo! E, enquanto nos empenhamos, cada vez mais, em largas dívidas para com a Ciência que nos rasga horizontes e traça caminhos novos, vivamos na retidão de consciência, fiéis ao Cristo, no serviço incessante de burilamento da alma, na certeza de que, se a glorificação chega por fora, a verdadeira felicidade é obra de dentro.

53
Compromissos em nós

*Reunião pública de 25/8/61,
1ª parte, capítulo 3, item 13*

Considerando as elevadas missões dos Espíritos que se agigantaram nos louros da virtude, reflitamos nos compromissos anônimos que rogamos, com ardor, em nós e por nós.

* * *

Encontraste o marido ideal e a abastança doméstica; no entanto, recebeste no próprio sangue o filho retardado[3] que te corta o coração por difícil problema.

Um dia, compreenderás que, noutras épocas, foi ele o companheiro que induziste à loucura.

---

[3] N.E.: Termo considerado pejorativo e em desuso. Refere-se à condição intelectual caracterizada por dificuldades de aprendizado e de adaptação social.

* * *

Dispões de títulos respeitáveis para luzir nos encargos mais nobres, e padeces uma esposa mentalmente fixada na fronteira do hospício.

Um dia, compreenderás que, em estradas distantes, foi ela a parceira menos feliz, em cujos pés colocaste lama escorregadia, para que resvalasse, desamparada, na esquina do sofrimento.

* * *

Tens dinheiro e instrução, mas carregas um pai irascível e intransigente, que mais se assemelha a um tigre de sentinela.

Um dia, compreenderás que ele vive assim por defeitos da educação que lhe impuseste em outra existência.

* * *

Percebes a grandeza da obra de que te responsabilizas, sem achar colaborador que te dê mão no trabalho, arrostando, sozinho, a obrigação de fazer.

Um dia, compreenderás que te valias, ontem, da confiança alheia para tiranizar os que mais te amavam, e lutas, hoje, desentendido, para te libertares da violência.

* * *

Tens conhecimentos admiráveis e legiões de amigos que tudo fazem por ajudar-te; contudo, amargas penosa anormalidade orgânica, à maneira de espinho oculto.

Um dia, compreenderás que a mutilação e a deformidade, a inibição e a moléstia constituem remédios nos pontos fracos da própria alma.

* * *

Desfrutas de mediunidade notável, e não consegues outro mister que não seja o consolo e o apaziguamento na própria casa.

Um dia, compreenderás que carecias de longo tempo, desempenhando a função de bússola viva para alguns poucos viajantes do mundo, arrojados por ti mesmo nas trevas das grandes provas.

* * *

Acalentas projetos superiores, exaltando anseios de ascensão e sonhos de arte; no entanto, gastas o próprio corpo, dobrando a cerviz sobre o tanque ou lavando pratos e caçarolas.

Um dia, compreenderás que, para sermos livres, é preciso escravizar-nos, por algum tempo, ao pé daqueles que, por algum tempo, nos foram também escravos.

* * *

Bendize as dores desconhecidas que te pungem, silenciosas!

Agradece as ocupações ignoradas que pediste alegremente, na Vida Espiritual, e que, muita vez, exerces chorando na vida física.

Se ninguém, na Terra, te anota o serviço obscuro, recorda que Deus te vê! Se todos te desprezam à face das tuas atividades supostas insignificantes e humildes, mesmo por entre lágrimas, regozija-te nelas, aguardando o futuro.

Ninguém consegue realmente ser grande, quando não aprendeu a ser pequenino.

54
Na lei do bem

*Reunião pública de 28/8/61,
1ª parte, capítulo 8, item 12*

Perguntas, muita vez, de alma inquieta, que vem a ser o bem, tão diversas surgem as interpretações ao redor do bem por toda parte.

Entendamos, contudo, que o bem genuíno será sempre o bem que possamos prestar na obra do bem aos outros.

* * *

Colheste pedradas na construção a que te dedicas; no entanto, compadeces-te da mão que te ultraja, interpretando-lhe os golpes por sintomas de enfermidade.

Ouviste frases insultuosas em torno do teu nome, e registras a agressão por loucura daqueles que as pronunciam, sem alterar-te no auxílio a eles.

Sofreste assalto na tarefa que realizas, mas não te revoltas contra a injúria dos que te invadem a seara de esforço nobre, trabalhando sem mágoa no clima da tolerância.

Podes falar, com razão, a palavra acusadora contra o adversário que te feriu; contudo, reconheces a ofensa por crise de ignorância e, nem de leve, te afastas da desculpa irrestrita.

Tens bastante merecimento para destaque, e te ocultas na atividade silenciosa, sem fugir à cooperação junto daqueles que te dirigem.

Conservas a possibilidade de reter o melhor quinhão de vantagens, e não te lembras disso, ofertando o melhor de ti mesmo aos que te comungam a experiência.

O bem é luz que se expande na medida do serviço de cada um ao bem de todos com esquecimento de todo mal.

* * *

Sem afetação de santidade, ajudemos o próximo, a fim de que o próximo aprenda a ajudar-se.

Sem cartaz de virtude, olvidemos as faltas alheias, reconhecendo que poderiam ser nossas, diante das fraquezas que carregamos ainda.

Recorda que, se há Espíritos transviados ou injustos em decúbito moral pelo caminho, são eles tão necessitados da parcela de teu amor quanto os famintos, a quem dás espontaneamente o prato de pão.

A felicidade real nasce, invariável, daquela felicidade com que tornamos alguém feliz.

Façamos, assim, aos outros o que desejamos que nos façam eles, na convicção de que, se cuidamos da lei do bem, a lei do bem cuidará de nós.

55
O lugar do Paraíso

*Reunião pública de 1/9/61,
1ª parte, capítulo 3, item 2*

Para além do mais além, espraia-se o Universo Infinito em todas as direções.

O homem terrestre já mentaliza Vênus e Marte, Júpiter e Saturno, lares pendentes do colo maternal do Sol que nos anima, por territórios atingíveis.

Não nos referiremos em página tão simples à estatística dos milhões de quilômetros que separam os grandes mundos entre si. Recordemos tão só que a galáxia em que respiramos agora, dentro da qual a nossa Terra pode ser comparada a uma laranja no Oceano Pacífico, dista da galáxia mais próxima centenas de anos-luz. E, compreendendo-se que um ano-luz representa mais de nove trilhões de quilômetros, já que a luz se projeta com a velocidade de trezentos mil quilômetros por segundo, é fácil imaginar a grandeza da Criação.

* * *

Temos, desse modo, a enxamearem, nas vastidões do Cosmo, sóis e planetas incontáveis, todos eles vinculados às pluriformes esferas espirituais em que se continuam. Aí, aglutinam-se, funcionam, desintegram-se e refazem-se mundos de todas as condições no incessante quimismo dos elementos.

Mundos — santuários...
Mundos — escolas...
Mundos — sementeiras...
Mundos — searas...
Mundos — desertos...
Mundos — jardins...
Mundos — hospitais...
Mundos — penitenciárias...
Mundos — oficinas...
Mundos — museus...

* * *

Alma que te purificas na Terra, diante de tamanha magnificência, não menoscabes, porém, a tua glória celeste.

No círculo da dor e da experiência, guardas contigo o gérmen da Divindade. Criatura consciente, mais que todas as soberbas formações dos planos de matéria transitória, encerras o eterno pensamento do Criador!

Lutemos e soframos, por aperfeiçoar e aformosear a nós mesmos, nascendo sob o teto da carne e renascendo nos reinos do Espírito, tantas vezes quantas se fizerem necessárias, até que, um dia, aliando a sabedoria e o amor, por nossas próprias asas, possamos remontar ao Coração da Vida, carregando o paraíso no coração.

56
Invocações

*Reunião pública de 4/9/61,
1ª parte, capítulo 10, item 9*

Ouviste opiniões contraditórias referentes às invocações na Doutrina Espírita.

Adversários gratuitos pretenderam insinuar que nos reuníamos, imitando magos e sibilas da Antiguidade, a explorar sortilégios e filtros supostamente milagrosos.

Outros, sem analisar-nos os princípios, entenderam acreditar que tomamos os recursos psíquicos para exibições de hipnotismo vulgar, como se categorizássemos os medianeiros da Nova Revelação por jograis e fantoches.

É imperioso anotar, contudo, que toda a formação espírita guarda raízes nas fontes do Cristianismo simples e claro, com finalidades morais distintas, no aperfeiçoamento da alma, expressando aquele Consolador que Jesus prometeu aos tempos novos.

* * *

Não admitas, portanto, que pudéssemos converter as lições do Mestre em práticas e fórmulas cabalísticas. Todos os ensinamentos do Cristo vibram puros em nossos postulados, com os amplos desenvolvimentos que a Codificação Kardequiana lhes imprimiu.

Em nossas assembleias, hipotecamos o apreço devido a todas as crenças e confissões.

Respeitamos os irmãos da cristandade, que, em postura determinada, invocam a Presença Divina e a proteção dos Espíritos santificados em preces de confiança e cânticos de louvor.

Respeitamos os irmãos do Islamismo, que, diversas vezes por dia, invocam a bênção de Alá.

Respeitamos os irmãos do Budismo, que, por meio da liturgia que lhes é própria, invocam a paz de Sakya-Muni (Buda), o bem-aventurado.

Respeitamos os irmãos do Moisaísmo, que, por vários preceitos, invocam o amparo do Senhor Todo-Poderoso.

Também nós, em nos associando, invocamos a inspiração do Divino Mestre e o concurso dos instrutores domiciliados na Vida Maior, a fim de que possamos orar e estudar a verdade, aprendendo por que oramos e cremos, de vez que, na Doutrina Espírita, sem pompas de culto externo e sem rituais de qualquer procedência, somos chamados à fé, capaz de encarar a razão face a face.

Quanto à atitude religiosa que abraçamos, de permeio com as indagações científicas e com as exposições filosóficas da nossa doutrina libertadora, ninguém pode olvidar que Allan Kardec, evidenciando a necessidade de aliança do raciocínio e do sentimento, nas jornadas do Espírito, iniciou a obra monolítica da Codificação, perguntando pela essência de Deus.

57
Purgatório

*Reunião pública de 8/9/61,
1ª parte, capítulo 5, item 3*

Aprendeste a venerar os heróis do passado e suspiras igualmente pelo ensejo de exaltar a virtude.

Na senda cristã, rememoras o tempo glorioso dos mártires, invejando-lhes o destino.

De outras vezes, sonhas chegar ao Plano Espiritual por sublime aparição de brandura, asserenando as almas impenitentes.

Em muitas ocasiões, no limiar do repouso físico, pedes admissão ao serviço dos benfeitores desencarnados, diligenciando o próprio adestramento em obras de instrução e consolo.

* * *

Entretanto, quase nunca te lembras de que te encontras no mundo, assim como quem vive temporariamente no purgatório.

Não precisas entregar a própria carne ao dente das feras para demonstrares fé em Deus; nem desvencilhar-te do corpo denso a fim de exerceres os misteres da caridade.

O Amor Infinito se expressa em toda parte, e a Terra em que respiras movimenta-se a pleno céu.

Embora na parcela de luta que o passado te atribui ao presente, reflete no ideal de servir e surpreenderás o divino momento de auxiliar, seja onde for.

Tens, na própria casa, os pais sofredores, os filhos inquietos, os irmãos menos felizes e os parentes agoniados.

Identificas, no trabalho, chefes irritadiços, subalternos amargos, clientela exigente e colegas enigmas.

No campo social, relacionas amigos-problemas, adversários gratuitos, companheiros frágeis e observadores intransigentes.

E, tanto nos becos mais simples quanto nas mais largas avenidas, segues ao lado de corações que a sombra enredou na teia das grandes provas.

Todos, sem exceção, esperam de ti a migalha de amor e a esmola de paciência.

* * *

Purgatório! Purgatório!... Todos nós, consciências endividadas, estamos nele.

O remédio, porém, é o caminho da cura.

Ajuda aos semelhantes para que os semelhantes te ajudem.

Aqueles que nos rodeiam são hoje os grandes necessitados. Amanhã, contudo, é possível que os grandes necessitados sejamos nós.

58
Precisamente

*Reunião pública de 11/9/61,
1ª parte, capítulo 7, § 11*

Diante das soluções aguardadas para amanhã, é imperioso atender aos problemas de hoje.

Declaras-te sob manchas morais e foges de servir, quando precisamente a vida nos descerra o ensejo de auxiliar, para que o suor, na prática do bem, nos dissipe as nódoas do coração.

Confessas-te em débitos lamentáveis e desertas das boas obras, quando precisamente dispomos da oportunidade de agir em benefício dos semelhantes, a fim de que venhamos a alcançar o resgate preciso.

Asseveras-te em falta grave e acolhes-te à intolerância, quando precisamente no exercício da bondade para com os outros é que obteremos desculpa em favor de nós mesmos.

Afirmas-te frágil, quando precisamente por isso é que as tribulações nos sitiam a estrada, a fim de que saibamos conquistar o apoio da fortaleza.

Dizes-te inútil, quando precisamente para que nos façamos prestativos e valiosos é que possibilidades inúmeras de trabalho nos rodeiam em cada dia.

Acusas-te ignorante, quando precisamente para que nos instruamos é que as experiências difíceis nos desafiam em toda parte.

* * *

Não te isoles a pretexto de imperfeição.

O discípulo permanece no educandário precisamente para aprender.

E, em todo educandário, as lições seguem curso normal, conforme o programa que as preceitua.

Ao aluno aplicado, passaporte de competência.

Ao aluno vadio, convite à repetição.

Assim também conosco.

A vida é a escola de nossas almas.

Quem quiser pode aproveitá-la em todas as circunstâncias.

O tempo, contudo, assemelha-se ao professor equilibrado e correto que premia o merecimento, considera o esforço, reconhece a boa vontade e respeita a disciplina, mas não cria privilégio nem dá cola a ninguém.

59
Nós todos

Reunião pública de 15/9/61,
1ª parte, capítulo 7, § 1

Espíritos imperfeitos!
No círculo das paixões que se agitam na Terra, somos nós todos.

* * *

Abriste a outrem o túnel da paciência e não te furtaste ao desespero, quando o tempo te trouxe o dia da prova.
Receitaste heroísmo ao companheiro dilacerado e acolheste a revolta, quando te beliscaram a pele.
Pregaste desinteresse aos que ajuntaram alguns vinténs e esqueceste os necessitados, quando a fortuna te procurou.

Estranhaste o procedimento culposo dos vizinhos e resvalaste em mais baixo nível na hora da tentação.

Por isso mesmo, qual nos acontece, ao toque da verdade, tens a luz da esperança na dor da insatisfação.

* * *

No entanto, apesar dos mais duros conflitos de consciência, prossegue indicando o bem.

Exercício na escola é base do ensino.

Aluno desanimado perde a lição.

Fazendo luz para os outros, acabamos medindo a sombra que nos é própria.

* * *

Não admitas que nós, os amigos desencarnados, estejamos como quem fala de palanque blindado, à praça indefesa.

Obreiros da mesma obra, servimos em duas frentes.

Choras pelos que viste partir.

Choramos nós pelos que ficaram.

Trabalhamos por ti, a cujo passo recorreremos em nova reencarnação.

Trabalhas por nós, que seremos teus filhos.

* * *

Imperioso purificar-nos para o voo supremo aos mundos felizes.

Tanto aí quanto aqui, é preciso aprender, sofrendo, e subir, resgatando.

Assim, pois, diante do irmão caído no mal, compadece-te dele e ensina o bem, mesmo que o mal ainda te ensombre.

A compaixão mostra o caminho da caridade e, sem caridade uns para com os outros, não há segurança para ninguém.

60
Desencarnados em trevas

Reunião pública de 18/9/61,
1ª parte, capítulo 7, § 25

Desencarnados em trevas...
Insulados no remorso...
Detidos em amargas recordações...
Jungidos à trama dos próprios pensamentos atormentados...

* * *

Eram donos de palácios soberbos, e sentem-se aferrolhados no estreito espaço do túmulo.

Mostravam-se insensíveis nos galarins do poder, e derramam o pranto horizontal dos caídos.

Amontoavam haveres, e agarram-se, agora, aos panos do esquife.

Possuíam rebanhos e pradarias, e jazem num fosso de poucos palmos.

Despejavam fardos de dor nos ombros sangrentos dos semelhantes, e suportam, chorando, os mármores do sepulcro a lhes partirem os ossos.

Estadeavam ciência inútil, e tremem perante o desconhecido.

Devoravam prazeres, e gemem a sós.

Exibiam títulos destacados, e soluçam no chão.

Brilhavam em salões engrinaldados de fantasias, e arrastam-se, estremunhados, ante as sombras da cova.

Oprimiam os fracos, e não sabem fugir à gula dos vermes.

Eram campeões da beleza física, e procuram, debalde, esconder-se nas próprias cinzas.

Repoltreavam-se em redes de ouro, e estiram-se, atarantados, entre caixas de pó.

Emitiam discursos brilhantes, e gaguejam agora.

Deitavam sapiência, e estão loucos.

* * *

Nada disso, porém, acontece porque algo possuíssem, mas sim porque foram possuídos de paixões desregradas.

Não se perturbam porque algo tiveram, mas sim porque retiveram isso ou aquilo, sem ajudar a ninguém.

Se podes verificar a tortura dos desencarnados em trevas, aproveita a lição.

Não sofrerás pelo que tens, nem pelo que és.

Todos colheremos o fruto dos próprios atos, no que temos e somos.

Onde estiveres, pois, faze o bem que puderes, sem apego a ti mesmo.

Escuta o companheiro que torna do Além, aflito e desorientado, e aprenderás, em silêncio, que todo egoísmo gera o culto da morte.

61
Céu e Inferno

Reunião pública de 22/9/61,
1ª parte, capítulo 7, § 5

Em matéria de prêmio e castigo, a se definirem por Céu e Inferno, suponhamo-nos à frente de um pai amoroso, mas justo, dividindo a sua propriedade entre os filhos, aos quais se associa, abnegado, para que todos eles se prestigiem e cresçam, de maneira a lhe desfrutarem os bens totais.

O genitor, compassivo e reto, concede aos filhos, em regime de gratuidade, todos os recursos da fazenda Divina: a vestimenta do corpo; a energia vital; a terra fecunda; o ar nutriente; a defesa do monte; o refúgio do vale; as águas circulantes; as fontes suspensas; a submissão dos vários reinos da natureza; a organização da família; os fundamentos do lar; a proteção das leis; os tesouros da escola; a luz do raciocínio; as riquezas do sentimento; os prodígios da afeição; os valores da experiência; a possibilidade de servir...

Os filhos recebem tudo isso, mecanicamente, sem que se lhes reclame esforço algum, e o pai apenas lhes pede para que se aprimorem, pelo dever nobremente cumprido, e se consagrem ao bem de todos, por meio do trabalho que lhes valorizará o tempo e a vida.

* * *

Nessa imagem, simples embora, encontramos alguma notícia da magnanimidade do Criador para nós outros, as criaturas.

Fácil, assim, perceber que, com tantos favores, concessões e doações, facilidades e vantagens, entremeados de bênçãos, suprimentos, auxílios, empréstimos e moratórias, o Céu começará sempre em nós mesmos e o Inferno tem o tamanho da rebeldia de cada um.

62
Espíritas diante da morte

*Reunião pública de 25/9/61,
1ª parte, capítulo 2, item 10*

Toda religião procura confortar os homens ante a esfinge da morte.

A Doutrina Espírita não apenas consola, mas também alumia o raciocínio dos que indagam e choram na grande separação.

* * *

Toda religião admite a sobrevivência.

A Doutrina Espírita não apenas patenteia a imortalidade da vida, mas também demonstra o continuísmo da evolução do ser em esferas diferentes da Terra.

* * *

Toda religião afirma que o mal será punido para lá do sepulcro.

A Doutrina Espírita não apenas informa que todo delito exige resgate, mas também destaca que o Inferno é o remorso na consciência culpada, cujo sofrimento cessa com a necessária e justa reparação.

* * *

Toda religião ensina que a alma será expurgada de todo o erro em regiões inferiores.

A Doutrina Espírita não apenas explica que a alma, depois da morte, se vê mergulhada nos resultados das próprias ações infelizes, mas também esclarece que, na maioria dos casos, a estação terminal do purgatório é mesmo a Terra, onde reencontramos as consequências de nossas faltas, a fim de extingui-las mediante a reencarnação.

* * *

Toda religião fala do Céu, como sendo estância de alegria perene.

A Doutrina Espírita não apenas mostra que o Céu existe, por felicidade suprema no Espírito que sublimou a si mesmo, mas também elucida que os heróis da virtude não se imobilizam em paraísos estanques, e que, por mais elevados na hierarquia moral, volvem a socorrer os irmãos da humanidade ainda situados na sombra.

* * *

Toda religião encarece o amparo da Providência Divina às almas necessitadas.

A Doutrina Espírita não apenas confirma que o amor infinito de Deus abraça todas as criaturas, mas também adverte que todos receberemos, individualmente, aqui ou além, de acordo com as nossas próprias obras.

* * *

Os espíritas, pois, realmente não podem temer a morte que lhes sobrevém na pauta dos desígnios superiores.

Para todos eles, a desencarnação em atendimento às ordenações da Vida Maior é o termo de mais um dia de trabalho santificante, para que se ponham, de novo, a caminho do alvorecer.

63
Fogo mental

*Reunião pública de 6/10/61,
1ª parte, capítulo 4, item 2*

Fogo íntimo!... As consciências insensibilizadas no crime só lhe sentem as chamas quando as entranhas do Espírito se lhe contorcem ao peso; todavia, basta ligeira falta cometida para que as almas retas lhe sofram as labaredas...

Figura-se látego mortífero em agitação permanente, conquanto retido no coração, imobilizando o pensamento no desespero.

Agrava-nos a inferioridade, devora-nos o tempo, dilapida-nos a esperança, consome-nos as forças.

É como se, depois de atacar alguém, viéssemos a tombar no recesso de nós mesmos, confundidos pelas pancadas que desferimos nos outros...

O remorso é esse fogo mental, diluindo a existência em suplício invisível.

Foge, assim, de ofender, pois, embora o perdão se erija qual remédio eficaz, na Misericórdia Divina, para as doenças que levianamente criamos, é da própria Lei que, ao ferirmos alguém, caiamos, por nossa vez, inevitavelmente entregues aos resultados de nossos golpes, a fim de que sejamos também feridos.

64
Jornada acima

Reunião pública de 13/10/61,
1ª parte, capítulo 6, item 13

Ergue a flama da fé na imortalidade e caminha!

Os que desertaram da confiança gritar-te-ão impropérios, entrincheirados na irresponsabilidade que lhes serve de esconderijo.

Demagogos do desânimo dirão, apressados, que o mundo nunca se desvencilhará da lei de Caim; que os tigres da inteligência continuarão devorando os cordeiros do trabalho; que a mentira, na História, prosseguirá entronizando criminosos na galeria dos mártires; que a perfídia se anteporá, indefinidamente, à virtude; que a mocidade é carne para canhões e prostíbulos; que as mães amamentam para o sepulcro; que as religiões são fábulas piedosas para consumo de analfabetos; que as tenazes da guerra te constringirão a cabeça, sufocando-te a voz no silêncio do horror... Tentarão, decerto, envolver-te na nuvem do pessimismo, induzindo-te a esquecer o presente e o futuro na taça de tranquilidade e prazer em que anestesiam o pensamento.

Contudo, reflete levemente e perceberás que os trânsfugas do dever, acolhidos à negação e infantilizados no medo, simplesmente desfrutam a paz dos entrevados e a alegria dos loucos.

* * *

Ora por eles, nossos irmãos que ainda não amadureceram o entendimento para a altura da vida, e segue adiante.

Na escuridão mais espessa, acende a chama da prece e, onde todos se sentirem desalentados, fala, sem revolta, a palavra de esperança que desenregele os corações mumificados no desconsolo. Um gesto de bondade sobre a agonia de alguém que oscila, à beira do abismo, e uma gota de bálsamo espremida com amor numa ferida que sangra bastam, muitas vezes, para renovar multidões inteiras.

Sobretudo, nos mais aflitivos transes da provação, não percas a paciência.

Não consegues emendar os companheiros desarvorados, mas podes restaurar a ti mesmo.

Embora contemplando assaltos e violências, ruínas e escombros, avança jornada acima, apagando o mal e fazendo o bem.

Criatura alguma, na Terra, escapará da grandeza fatal da justiça e da morte; no entanto, sabemos todos que a justiça, por mais dura e terrível, é sempre a resposta da Lei às nossas próprias obras, e que a morte, por mais triste e desconcertante, é sempre o toque de ressurgir.

65
Diante do amanhã

Reunião pública de 16/10/61,
1ª parte, capítulo 1, item 1

Compreendemos, sim, todos os teus cuidados no mundo, assegurando a tua tranquilidade.
Organizas com esmero a casa em que vives.
Proteges as vantagens imediatas da parentela.
Preservas, apaixonadamente, a segurança dos filhos.
Atendes, com extremado carinho, ao teu grupo social.
Valorizas o que possuis.
Arranjas habilmente o leito calmo.
Selecionas, com fino gosto, os pratos do dia.
Defendes, como podes, a melhoria das tuas rendas.
Aspiras a conquistar salário mais amplo.
Garantes o teu direito à frente dos tribunais.
Vasculhas avidamente o noticiário do que vai pelo mundo.

Sabes procurar, com pontualidade e respeito, os serviços do médico e os préstimos do dentista.

Marcas horário para o cabeleireiro.

Escolhes com devoção o filme que mais te agrada.

Examinas a moda, mesmo com simplicidade e moderação, como quem obedece à força de um ritual.

Questionas sucessos políticos.

Discutes, veemente, os serviços públicos.

Tentas, de maneira instintiva, influenciar opiniões e pessoas.

Desvelas-te em atrair a simpatia dos companheiros.

Observas, a cada instante, as condições do tempo, como se trouxesses, obrigatoriamente, um barômetro na cabeça.

* * *

Tudo isso, meu irmão da Terra, é compreensível, tudo isso é preocupação natural da existência.

No entanto, não conseguimos explicar o teu desvairado apego às ilusões de superfície, nem entendemos por que não dedicas alguns minutos de cada dia, de cada semana ou de cada mês a refletir na transitoriedade dos recursos humanos, reconhecendo que nada levarás, materialmente, do plano físico, tanto quanto, afora os bens do espírito, nada trouxeste ao pousar nele.

Ainda assim, não te convidamos à ideia obcecante da morte, porquanto a morte é sempre a vida noutra face. Desejamos tão somente destacar que, nessa ou naquela convicção, ninguém fugirá do porvir.

Disse o Cristo: "Andai enquanto tendes luz".

Isso quer dizer que é preciso aproveitar a luz do mundo para fazer luz em nós.

66
Sentenciados

*Reunião pública de 20/10/61,
1ª parte, capítulo 7, § 31*

Sentenciados, sim!

A vida, porém, não nos suplicia pelo prazer de atormentar.

À face de nossa destinação à suprema felicidade, todos estamos intimados ao bem, impelidos ao progresso, endereçados à educação e policiados pela justiça.

Jesus, o Divino Penologista, exortou-nos, convincente: "Perdoa não sete vezes, mas setenta vezes sete".

É que o mal expressa grave desequilíbrio naquele que o pratica.

Comparados às moléstias do corpo, a dor moral de haver ferido a alguém é o abscesso reclamando dreno adequado; o vício é a fístula corruptora, esperando remoção da causa que a produz, e a delinquência é o tumor de caráter maligno, comprometendo a estrutura orgânica em prenúncio de morte.

Esposar revolta e vingança seria expor o próprio sangue a infecções perigosas, entrando, voluntariamente, nas faixas destrutivas da enfermidade.

Tolerância e perdão, por isso, constituem profilaxia e imunização infalíveis.

* * *

Diz Allan Kardec: "Às penas que o Espírito experimenta na vida espiritual ajuntam-se as da vida corpórea, que são consequentes às imperfeições do homem, às suas paixões, ao mau uso das suas faculdades e à expiação de presentes e passadas faltas".

Esparze, desse modo, as vibrações confortativas da prece sobre todo aquele que caiu no logro do mal.

O caluniador está sentenciado à repressão da própria língua, o desertor está sentenciado à frustração que marcou a si mesmo, o ingrato está sentenciado ao arrependimento tardio, o ofensor está sentenciado ao ferrete da consciência, o criminoso está sentenciado a carregar consigo o padecimento das próprias vítimas.

Além disso, cada conta exige resgate proporcional aos débitos assumidos, com o remorso de quebra.

Assim, pois, à frente do irmão que te golpeia, recolhe-te em silêncio e esquece todo o mal. Não precisas indicá-lo a esse ou àquele castigo, perante a barra dos tribunais, porque o maior sistema de punição já está dentro dele.

67
Falibilidade

*Reunião pública de 23/10/61,
1ª parte, capítulo 9, item 12*

Ante as devastações do mal, apoia o trabalho que objetive o retorno ao bem.

Até que o Espírito se integre no Infinito Amor e na Sabedoria Suprema em círculos de manifestação que, por agora, nos escapam ao raciocínio, a falibilidade é compreensível no campo de cada um, tanto quanto o erro é natural no aprendiz em experiência na escola.

A educação não forma autômatos.

A Ordem Universal não cria fantoches.

* * *

Onde haja desastre, auxilia a restauração.

Mobiliza as forças de que dispões, sanando os desequilíbrios, em vez de consumir ação e verbo, atitude e tempo, grafando a veneno o labéu da censura.

Anotaste lances calamitosos nos delitos que o tribunal terrestre não é capaz de prever ou desagravar.

Viste homens e mulheres cercados de apreço público aniquilarem existências preciosas, derramando o sangue de corações queridos em forma de lágrimas; surpreendeste cidadãos abastados e aparentemente felizes, que humilharam os próprios pais, reduzindo-os à extrema pobreza ao preço de documentos espúrios; assinalaste pessoas açucaradas e sorridentes que induziram outras ao suicídio e à criminalidade, sem que ninguém as detivesse; identificaste os que abusaram do poder e do ouro, erguendo tronos sociais para si próprios, à custa do pranto que fizeram correr, muitas vezes com o aplauso dos melhores amigos, e conheceste carrascos de olhos doces e palavras corretas que escamotearam a felicidade dos semelhantes, abrindo as portas do hospício ou da penitenciária para muitos daqueles que lhes confiaram os tesouros da convivência, sem que o mundo os incomodasse.

Apesar disso, não necessitas enlamear-lhes o nome ou incendiar-lhes a senda. Todos eles voltarão ao quadro escuro das faltas cometidas, em continuadas reencarnações, em dificuldades amargas, nos redutos da prova, a fim de lavarem a consciência.

* * *

Se a maldade enodoa essa ou aquela situação, faze o melhor que puderes para que a bondade venha a surgir.

Segue entre os homens, abençoando e ajudando, ensinando e servindo...

Todas as vítimas das trevas serão trazidas à luz, e todos os caídos serão levantados, ainda que, para isso, a esponja do sofrimento tenha de ser manejada pelos braços da vida, em milênios de luta. Isso porque as Leis Divinas são de justiça e misericórdia, e a Providência Inefável jamais decreta o abandono do pecador.

68
Ante os Espíritos puros

*Reunião pública de 27/10/61,
1ª parte, capítulo 8, item 14*

Mentalizas a Natureza Divina dos Espíritos puros e queres partilhar-lhes o banquete de luz.

Sonhas trajar-te de esplendor e esparzir sobre os homens os dons infinitos da Bondade Celeste.

Entretanto, ai de nós! Espíritos vinculados ainda à Terra, somos, por enquanto, consciências endividadas a entrechocar-nos na sombra de débitos clamorosos, compelidos ao barro das próprias imperfeições.

* * *

Apesar disso, porém, é possível começar, desde logo, a escalada ao fulgor dos cimos.

Não podes, hoje, erguer as mãos, sustando o curso da tempestade; contudo, guardas contigo os meios de asserenar a procela de dor que zurze o coração dos companheiros em sofrimento.

É impossível, de um instante para outro, transmitir para o mundo as mensagens divinatórias das supremas revelações; no entanto, bastará leve esforço e acenderás o alfabeto em muitos cérebros que tateiam na noite da ignorância.

Diligenciarias debalde, agora, materializar os entes sublimes da Esfera Superior ante os olhos terrestres; todavia, nada te impede de concretizar o caldo reconfortante para os doentes abandonados que esmorecem de fome.

Na atualidade, resultaria infrutífero qualquer empreendimento de tua parte, no sentido de alimpar o próximo verminado de chagas, pronunciando simples ordem verbal; contudo, ninguém te furta o ensejo de alentar-lhe a esperança ou lavar-lhe as feridas.

Em vão buscarias, à pressa, renovar milagrosamente o ânimo envenenado de entidades embrutecidas, transformadas em obsessores intransigentes; no entanto, consegues aliviar, em bálsamos de oração e de amor, a mente desorientada, fronteiriça à loucura.

* * *

Reflete nos Mensageiros Divinos, respeita-lhes a missão e roga-lhes apoio na caminhada, mas não tentes obter de improviso as responsabilidades que lhes pesam nos ombros.

Não reclames para teus braços o serviço do Sol.

Cumpre os deveres que te competem.

Para isso, não te digas cansado, nem te proclames inútil.

O verme, infinitamente distante do pensamento que te coroa, é o servo esquecido que aduba a terra para que a terra te forneça o pão.

69
Espíritos transviados

Reunião pública de 30/10/61,
1ª parte, capítulo 7, § 22

Caminham desfalecentes, embuçados na sombra, ainda que o Sol resplenda em torno.

Sonâmbulos das paixões em que se desregravam, são cativos dos seus próprios reflexos dominantes.

Por mais que se lhes atraia a atenção para as esferas sublimes, encasulam-se nos interesses inferiores, encarcerando na Terra as antenas da alma.

Aferrolhavam o coração no recinto estreito de burras preciosas e sentem-se, no esquife, como quem se refestela em poltrona de ouro.

Empenhavam as forças a tiranizarem multidões indefesas, manejando o verbo fácil, e deitam oratória fulgente no barranco em que se lhes guardam os restos, qual se ocupassem os primeiros lugares em tribuna de honra.

Aniquilavam recursos, plasmando imagens viciosas, em nome do sentimento e escrevem ou gesticulam, na solidão, supondo transmitir emoções enfermiças a legiões de admiradores imaginários.

Aprisionavam a mente no egoísmo feroz e tornam à paisagem doméstica, à maneira de loucos, envolvendo os entes queridos em fluidos tentaculares.

Hipotecavam energias aos prazeres sensuais e choram, agressivos, na clausura da cova, disputando com os vermes a posse do corpo transformado em ruínas.

Empregavam as horas, ilaqueando a si mesmos, e vagueiam, errantes, hipnotizados por inteligências corrompidas, com as quais se conjugam em delitos nas trevas.

* * *

Não acredites, porém, sejam eles doentes sem esperança.
O Criador não quer escravos na Criação.
Todos somos livres para escolher os nossos caminhos.
Por isso, quase sempre, em sucessivas reencarnações, gastamos séculos no mal, a fim de entender o bem.
E se a Lei te permite conhecer o suplício das consciências transviadas para lá do sepulcro, é para que trabalhes em teu próprio favor.
Corrige em ti mesmo tudo aquilo que censuras nos outros.
Clareia-te por dentro.
Aprimora-te e serve.
Enquanto no corpo físico, desfrutas o poder de controlar o pensamento, aparentando o que deves ser; no entanto, após a morte, eis que a vida é a verdade, mostrando-te como és.

70
No grande adeus

Reunião pública de 3/11/61,
2ª parte, capítulo 1, item 13

    Cerraste os olhos dos entes amados, orvalhando-lhes o rosto inerte com as lágrimas que te corriam da ternura despedaçada, e inquiriste, sem palavras, para onde se dirigiam no grande silêncio.
    Disseste adeus, procurando debalde aquecer-lhes as mãos frias, desfalecentes nas tuas, e colaste neles o ouvido atento, no peito hirto, indagando do coração prostrado a razão por que parou de bater.
    Entretanto, o vaso impassível nada pode informar quanto à destinação do perfume.

* * *

    Ergue as antenas da prece no santuário da tua alma e perceberás o verbo inarticulado dos que partiram...

Saberás, então, que te comungam a dor, estendendo-te as mãos ansiosas. Arrojados à vida nova, querem dizer-te que ressurgiram. Extasiados perante o Sol que a imortalidade lhes apresenta, suspiram por transfundir a saudade e o amor no cálice da esperança para que não desfaleças.

Libertos do cárcere em que ainda te encontras, rogam-te paz e conformação para que possam, enfim, demandar a renascente manhã que lhes acena dos cimos...

Não lhes craves nos ombros a cruz da aflição, nem lhes turves a mente no nevoeiro de pranto que te verte da angústia.

* * *

Honra-lhes a memória, abraçando os deveres que te legaram, e ajuda-os para que avancem com a tua bênção, de modo a te prepararem lugar na pátria comum, em que todos nos reuniremos um dia.

São agora companheiros que te pedem fidelidade e consolo para que te confortem, à maneira da árvore que solicita a rega da fonte a fim de preservá-la contra a secura.

Ante o fel da separação, trabalha com paciência e confia neles!... E quando a agonia da suposta distância te constrinja os refolhos do espírito, deixa que eles próprios te falem ao pensamento, sob a luz da oração.

71
Sirvamos sempre

*Reunião pública de 6/11/61,
1ª parte, capítulo 7, § 16*

Não apenas nos dias de arrependimento e reparação.
Em todas as circunstâncias, o serviço é o antídoto do mal.

* * *

Caíste na trama de enganos terríveis e arrepiaste caminho, sonhando reabilitar-te.
Não desperdices a riqueza das horas, amontoando lamentações.
Levanta-te e serve nos lugares onde esparziste a sombra dos próprios erros, e granjearás, na humildade, apoio infalível ao reajuste.

* * *

Arrostas duros problemas na vida particular.
Livra-te do fardo inútil da aflição sem proveito.
Reanima-te e serve no quadro de provações em que te situas, e a diligência funcionará, por tutora prestigiosa, abrindo-te a senda ao concurso fraterno.

* * *

Padeces obscura posição no edifício social.
Segue imune ao micróbio da inveja.
Movimenta-te e serve no anonimato, e o devotamento surgir-te-á por luminosa escada à subida.

* * *

Sofres o assalto de calúnias ferozes.
Esquece a vingança, que seria aviltamento em ti mesmo.
Silencia e serve, olvidando as ofensas, e conquistarás, no perdão com atividade no bem, escudo invencível contra os dardos da injúria.

* * *

Suportas afrontoso assédio de Espíritos inferiores, inclinando-te à queda na obsessão.
Abstém-te da queixa improfícua.
Resiste e serve, dedicando-te ao socorro dos que choram em dificuldades maiores, e surpreenderás, na beneficência, o acesso à simpatia e à renovação dos próprios adversários.

* * *

Preguiça é ópio das trevas.

Os que não trabalham transformam-se facilmente em focos de tédio e ociosidade, revolta e desespero, desequilíbrio e ressentimento, pessimismo e loucura.

* * *

Sirvamos sempre.
Quem busca realmente servir nunca dispõe de motivos para se arrepender.

72
Corações venerados

*Reunião pública de 10/11/61,
1ª parte, capítulo 11, item 12*

À medida que os anos terrestres te alongam a experiência, registras, com mais intensidade, na câmara da memória, a presença dos que partiram.

Ah! os mortos que te guiaram ao bom caminho!... São eles as vozes do passado que te chegam, puras, ao coração. Lembram-te o berço perdido junto às maternas canções que te embalavam para o repouso, os ensinamentos do lar que te guardavam a meninice, o carinho dos irmãos que beijavas na alegria transparente da infância, o sorriso dos mais velhos que te abençoavam em oração!... Falam-te dos passos cambaleantes da idade tenra, das primeiras garatujas que traçaste na escola, dos afetos da juventude, dos laços inolvidáveis dos quais te despediste, chorando, na hora extrema!...

* * *

Não te rendas, contudo, ao desespero se o frio da ausência parece constituir a única resposta da vida aos anseios que te fluem da inquietação.

Deixa que a prece te converta o espinheiral da saudade em jardim de esperança, porque todos eles, os corações venerados que te precederam no portal da grande sombra, aguardam-te jubilosos no imenso país da luz.

Entretanto, para que lhes partilhes o banquete de paz e amor, é necessário que perlustres a senda de trabalho e abnegação que te abriram aos pés.

Abraça-lhes o exemplo de sacrifício com que te iluminou o entendimento e pede-lhes para que te inspirem a caminhada.

Não temas, sobretudo, o avanço das horas.

O tempo que traz o inverno cinzento e triste é o mesmo que acende os lumes e ostenta as flores da primavera.

* * *

A existência no plano físico é comparável à travessia de grande mar.

O corpo é a embarcação.

A morte é o porto de acesso a lides renovadoras.

Tudo o que fazes segue à frente de ti, esperando-te, além, na estação de destino.

Vive, assim, a realizar o melhor que puderes, uma vez que, se te consagras ao bem, em verdade não fugirás à passagem da noite, mas todos aqueles que, um dia, te conduziram ao bem ser-te-ão novas luzes no instante do alvorecer.

73
Experiência religiosa

*Reunião pública de 13/11/61,
1ª parte, capítulo 1, item 4*

Deploramos as calamidades de que o materialismo se faz a nascente e insistimos pelo retorno à fé religiosa, para que a responsabilidade seja colocada no lugar que lhe é próprio.

Apontamos a excelência da virtude, traçamos roteiro à vida heroica, articulamos cruzadas de rearmamento moral e encarecemos a redenção dos costumes.

É forçoso reconhecer, no entanto, a inevitabilidade da ação para definir a função.

Contraditório aconselhar uma estrada e seguir noutra.

Toda escola é centro indutivo.

Formam-se engenheiros nas disciplinas em que outros engenheiros se tornaram instrutores.

Fazem-se mecânicos no trabalho em que outros mecânicos se fizeram exímios.

O invento pede uso, a teoria espera demonstração.

Assim também na experiência religiosa.

* * *

Imaginemos se o Cristo, a pretexto de angariar contribuições para as boas obras, houvesse disputado a nomeação de Mateus para exercer as atribuições de chefe do erário no palácio de Ântipas; se, para garantir o prestígio do Evangelho, passasse a frequentar os corredores do Pretório com o intuito de atrair as atenções de Pilatos; se, para favorecer a causa da Boa-Nova, resolvesse adular os familiares de Anás, oferecendo-lhes passes magnéticos para curar-lhes as enxaquecas; ou se, para preservar-se na grande crise, tivesse provocado um entendimento com essa ou aquela autoridade do Sinédrio, acomodando-se ao mercado das influências políticas junto do povo...

Ao invés disso, vemo-lo, a cada passo, coerente consigo mesmo.

Amparando os homens, sem os escravizar às ilusões.

Prestando serviço aos homens em nome de Deus, sem conluiar-se com os homens em desserviço a Deus.

Esclarecendo, sem impor.

Ajudando, sem exigir.

Promovendo o bem de todos, sem cogitar do bem de si mesmo.

* * *

Indubitavelmente, todos nós lamentamos a incredulidade que lavra na Terra, ressecando corações e ensombrando inteligências.

Urge, porém, compreender que, para abolir a tirania da negação que entenebrece o espírito humano, será necessário viver de acordo com a fé que ensinamos, a fim de que o mundo encontre em nós, primeiramente, o trabalho e a compreensão, a fraternidade e a concórdia que aspiramos encontrar dentro dele.

74
Contrassensos

*Reunião pública de 17/11/61,
1ª parte, capítulo 1, item 2*

Quando a gota se viu semelhante a uma gema valiosa na folhagem da primavera, insultou o rio em que se formara: "Sai da frente, monstro do chão".

* * *

Quando o tronco se agigantou diante do firmamento, blasfemou contra a própria raiz: "Não me sujes os pés".

* * *

Quando o vaso passou pela cerâmica em que nascera, gritou, revoltado: "Não suporto essa lama".

* * *

Quando o ouro se ajustou ao palácio, indagou da terra que o produzira: "Que fazes aí, barro escuro?"

* * *

Quando a seda brilhou na pompa da festa, disse à lagarta que lhe dera a existência: "Não te conheço, larva mesquinha".

* * *

Quando a pérola fulgiu soberana, exigiu da ostra em que se criara: "Não te abeires de mim".

* * *

Quando o arco-íris se reconheceu admirado pelo pintor, acusou o Sol de que se fizera: "Não me roubes a luz".

* * *

Copiando esses contrassensos figurados da natureza, o homem insensato, quando erguido ao pedestal do orgulho pelos abusos da inteligência, costuma escarnecer de si próprio, afirmando jactancioso: "A vida é poeira e nada, e Deus é ilusão".

75
Crenças

*Reunião pública de 20/11/61,
1ª parte, capítulo 6, item 23*

Declara Allan Kardec: "A crença é um ato de entendimento que, por isso mesmo, não pode ser imposto".

E ousamos acrescentar que isso ocorre porquanto cada consciência cultiva a fé segundo o degrau evolutivo em que se coloca ou de conformidade com a posição circunstancial em que vive.

* * *

Não seria justo violentar o cérebro da criança ao peso de indagações filosóficas, porque lhe não aceitemos as convicções infantis. Faz-se imperioso ouvi-la com paciência, guiando-lhe os raciocínios para os objetivos da lógica.

É crueldade censurar o náufrago porque se agarre à tábua lodosa, provisoriamente incapaz de partilhar-nos a embarcação confortável. Em vez disso, é forçoso que lhe estendamos concurso fraterno.

* * *

Excessos dogmáticos, lances de fanatismo, opiniões prepotentes, medidas de intolerância e injúrias teológicas podem ser hoje considerados por enfermidades das instituições humanas, destinadas a desaparecer com a terapêutica silenciosa da evolução e do tempo, embora constituam para todos nós, os espíritas cristãos encarnados e desencarnados, constantes desafios a mais amplo serviço na sementeira da luz.

Sabemos que a individualidade consciente é responsável pelos próprios destinos; que a Lei funciona em cada espírito, atribuindo isso ou aquilo a cada um, conforme as próprias obras; que Deus é o Infinito Amor e a Justiça Perfeita, e que as Forças do Universo não acalentam favoritismo para ninguém. Todavia, conquanto sustentando a fé raciocinada, nos alicerces do livre-exame, cabe-nos, sem qualquer atitude louvaminheira para com os tabus e preconceitos que ainda enxameiam no campo religioso da Terra, o dever de clarear o caminho dos nossos irmãos de Humanidade, em bases de auxílio, uma vez que o Criador concede à criatura os meios indispensáveis para que efetue, por si mesma, a própria libertação.

É por isso que Jesus proclamou: "Conhecereis a verdade e a verdade vos fará livres".

Não disse o Mestre que o mundo já conhecia a verdade, nem precisou a ocasião em que a verdade será geralmente conhecida entre os homens. Mas dando a entender que a verdade é luz divina, conquistada pelo trabalho e pelo merecimento de cada um, afirmou, simplesmente: "conhecereis".

76
Anjos desconhecidos

Reunião pública de 24/11/61,
1ª parte, capítulo 7, § 20

Há guardiães espirituais que te apoiam a existência no plano físico e há tutores da alma que te protegem a vida mesmo na Terra.

Frequentemente, centralizas a atenção nos poderosos do dia, sem ver os companheiros anônimos que te ajudam na garantia do pão. Admiras os artistas renomados que dominam nos cartazes da imprensa, e esqueces facilmente os braços humildes que te auxiliam a plasmar, no santuário da própria alma, as obras-primas da esperança e da paciência. Aplaudes os heróis e tribunos que se agigantam nas praças; todavia, não te recordas daqueles que te sustentaram a infância, de modo a desfrutares as oportunidades que hoje te felicitam. Ouves, em êxtase, a biografia de vultos famosos, e quase nunca te dispões a conhecer a grandeza silenciosa de muitos daqueles que te rodeiam, na intimidade doméstica, invariavelmente dispostos a te estenderem generosidade e carinho.

* * *

Homenageia, sim, os que te acenam dos pedestais que conquistaram, merecidamente, à custa de inteligência e trabalho; contudo, reverencia também aqueles que talvez nada te falem e que muito fizeram e ainda fazem por ti, muitas vezes ao preço de sacrifícios pungentes.

São eles pais e mães que te guardaram o berço, professores que te clarearam o entendimento, amigos que te guiaram à fé e irmãos que te ensinaram a confiar e servir... Vários deles jazem agora, na retaguarda, acabrunhados e encanecidos, experimentando agoniada carência de afeto ou sentindo o frio do entardecer; alguns prosseguem obscuros e devotados no amparo às gerações que retomam a lide terrestre, enquanto outros muitos, embora enrugados e padecentes, quais cireneus do caminho, carregam as cruzes dos semelhantes.

Pensa nesses anjos desconhecidos que se ocultam na armadura da carne e, de quando em quando, unge-lhes o coração de reconhecimento e alegria. Para isso, não desejam transfigurar-se em fardos nos teus ombros. Quase sempre, esperam de ti, simplesmente, leve migalha das sobras que atiras pela janela ou uma frase de estímulo, uma prece ou uma flor.

77
Lugares de expiação

*Reunião pública de 27/11/61,
1ª parte, capítulo 4, item 4*

Múltiplas são as conceituações dos Infernos exteriores.

Para os hindus de várias legendas religiosas da Antiguidade, a região do sofrimento, para lá do sepulcro, dividia-se em dezenas de seções nas quais os Espíritos culpados experimentavam os martírios do fogo e da asfixia, dos botes de serpentes e aves famélicas, de venenos e martelos, lâminas e prisões.

Entre os chineses, acreditava-se que os condenados, após o decesso, atravessavam privações e torturas até caírem, exaustos, numa espécie de segunda morte, com o suposto aniquilamento do próprio ser.

Egípcios empregavam aparatosos regimes de corrigenda para os mortos que fossem implacavelmente sentenciados a penas aflitivas sob as vistas de Anúbis.

A crença popular grega admitia a existência de abismos insondáveis, Além-Túmulo, onde os maus eram atormentados por agonias cruéis.

E, seguindo por vasta escala de concepções, a Teologia relaciona infernos hebraicos, persas, romanos, escandinavos, muçulmanos e ainda os que são até hoje perfilhados pelos diversos departamentos da atividade cristã.

* * *

Não ignoras que os sistemas de castigo, mentalizados para depois da morte, obedecem às idiossincrasias de cada povo, apresentando, por isso, variedades multiformes. E sabemos igualmente, em Doutrina Espírita, que existem outros infernos exteriores a cercar-nos na Terra entre os próprios Espíritos encarnados.

Não longe de nós, vemos o inferno da ignorância, em que se debatem as inteligências sequiosas de luz, o inferno das necessidades primárias absolutamente desatendidas, o inferno dos entorpecentes, o inferno do lenocínio, o inferno do desespero e o inferno das crianças desamparadas, todos eles gerando os suplícios da sombra e da loucura, do pauperismo e da enfermidade, do abandono e da delinquência.

Em razão disso, embora respeitando as crenças alheias, observemos as próprias ações, a fim de verificar o que estamos fazendo para extinguir os infernos que nos rodeiam.

E, sobretudo, aprendendo e servindo, vigiemos o coração para que a prática do bem nos garanta a consciência tranquila, uma vez que todos somos responsáveis pela nossa própria condição espiritual.

Disse-nos o Cristo: "O reino de Deus está dentro de vós", ao que, de acordo com ele mesmo, ousamos acrescentar: "E o inferno também".

78
Tarefas

*Reunião pública de 1/12/61,
1ª parte, capítulo 9, item 22*

Os Espíritos Puros desempenham missões gloriosas: contudo, apesar das imperfeições que ainda nos assinalam, todos temos função pessoal e intransferível nas engrenagens do mundo.

Não te afirmes à margem, nem te dês por inútil.

Não alegues impedimento, nem desertes da atividade que a vida te reservou.

Repara as lições que vertem, silenciosas, do livro da natureza.

Se os vermes parassem de trabalhar por se reconhecerem insignificantes, o solo ressecar-se-ia infecundo, incapaz de solucionar os problemas humanos.

Se as sementes invejassem a posição das árvores maduras e generosas que lhes presidem à espécie, desistindo, por isso, do esforço obscuro na germinação e no crescimento, em pouco tempo a esterilidade anularia os recursos da Terra.

Se as papoulas deixassem de produzir, revoltadas contra aqueles que lhes deturpam a essência nos mercados de ópio, deixariam de aliviar as dores do enfermo desesperado.

Se as fontes singelas fugissem de sustentar os grandes rios e as grandes represas a pretexto de se notarem humildes ante as grossas correntes que lhes formam a imensidade, o homem não contaria com esse ou aquele maior cabedal de força.

* * *

Honremos o posto de ação em que fomos localizados.

Diante da Lei, não há serviço aviltante.

As mãos que assinam decretos não vivem sem aquelas outras que preparam a mesa.

Os braços que conduzem arados são apoios daqueles outros que movem as máquinas poderosas.

Suor na indústria é sustento de todos.

Asseio na rua é proteção à comunidade.

Não vale amontoar rótulos passageiros, nem atabalhoar-se com muitos compromissos ao mesmo tempo.

Importa, acima de tudo, fazer bem o que se deve fazer.

79
Compaixão e justiça

Reunião pública de 4/12/61,
1ª parte, capítulo 7, § 29

O Amor Universal favorece o levantamento da escola, mas, se te negas a aprender, ninguém te pode arrancar às trevas da ignorância.

A Divina Presciência estabelece regras e meios para a higiene, mas, se desertas do cuidado para contigo, albergarás, no próprio corpo, largo pasto à imundície.

A Infinita Bondade inspira a elaboração do remédio que te alivie ou cure as doenças nessa ou naquela circunstância difícil, mas, se recusas o medicamento, continuarás sofrendo o desequilíbrio.

A Eterna Sabedoria promove a fabricação de extintores e encoraja a educação de bombeiros, mas, se ateias fogo na própria casa, padecerás, de imediato, os resultados do incêndio.

A Providência Vigilante suscita a formação de recursos para cultivo e defesa da gleba, mas, se foges do trabalho, a breve tempo terás, no próprio campo, vasta coleção de espinheiros e serpentes.

* * *

Deus dá a semente, mas pede serviço para que o pão apareça; espalha ensinamentos, mas pede estudo para que haja aprimoramento do espírito.

Não procures enganar a ti mesmo, aguardando compaixão sem justiça.

Anota os fenômenos da existência e reconhecerás que a vida te concede guias e explicadores, estradas e máquinas; no entanto, exige que penses com a própria cabeça e andes com os próprios pés.

Afirma Allan Kardec: "Certo, a misericórdia de Deus é infinita, mas não é cega".

E Jesus, encarecendo a responsabilidade que nos supervisiona os caminhos, adverte-nos no versículo 33 do capítulo 13, no Evangelho de *Marcos*: "Olhai, vigiai e orai...".

Observemos que o apelo à prudência não inclui simplesmente o "vigiai" e o "orai", e sim começa, com ampla objetividade, pelo imperativo categórico: "Olhai".

80
Na luz da justiça

*Reunião pública de 8/12/61,
1ª parte, capítulo 7, § 21*

A justiça humana, conquanto respeitável, frequentemente julga os fatos que considera puníveis pelos derradeiros lances de superfície, mas a Justiça Divina observa todas as ocorrências, desde os menores impulsos que lhes deram começo.

* * *

Identificaste os culpados pelas tragédias, minuciosamente descritas na imprensa; no entanto, muitas vezes tudo ignoras acerca das inteligências que as urdiram na sombra.

Viste pais e mães, aparentemente felizes e vigorosos, tombarem na desencarnação prematura, minados por sofrimentos indefiníveis, mas não enxergaste os filhos inconsequentes que lhes exauriram as forças.

Anotaste os companheiros que desertaram da construção espiritual, censurando-lhes o esmorecimento e o recuo; todavia, não te apercebeste dos amigos levianos que lhes exterminaram a tenra sementeira de luz no apontamento escarnecedor.

Reprovaste os que se renderam à perturbação e à loucura, estranhando-lhes a suposta fraqueza; entretanto, não chegaste a conhecer os verdugos risonhos do campo social e doméstico que os ficharam no cadastro do manicômio.

Acusaste os irmãos que caíram em desdita e falência, classificando-os na lista dos celerados; contudo, nem de leve assinalaste a presença daqueles que os sitiaram no beco da aflição sem remédio.

* * *

Não queremos, com isso, consagrar o regime da irresponsabilidade.

Todos respiramos, no Universo, ante a Luz da Justiça.

O autor de uma falta, naturalmente, responderá por ela.

Nos tribunais da imortalidade, cada Espírito devedor resgata as suas próprias contas. No entanto, em todas as circunstâncias, saibamos semear o bem, esparzir o bem, sustentar o bem e cooperar para o bem, uma vez que as nossas ações provocam nos outros ações semelhantes e, se aquele que faz o mal é passível de pena, aquele que organiza o mal, conscientemente, sofrerá pena maior.

81
Evolução e livre-arbítrio

*Reunião pública de 11/12/61,
1ª parte, capítulo 1, item 5*

Porque há dores necessárias no erguimento da vida, há quem se acolha à faixa da negação.

Ainda agora, muitos cientistas e religiosos, encastelados em absurdos afirmativos, parecem interessados em se anteporem ao próprio Deus.

Gigantes do raciocínio constroem máquinas com que investem o espaço cósmico em arrojados desafios, para dizerem que a vida é a matéria suposta onipotente, enquanto milhares de pregoeiros da fé levantam cadeias teológicas, tentando apresar a mente humana ao poste do fanatismo.

Na área de semelhantes conflitos, padece o homem o impacto de crises morais incessantes.

Não te emaranhes, porém, no labirinto.

O mundo está criado, mas não terminado.

De ponta a ponta da Terra, vibra, candente, a forja da evolução. Problemas solucionados abrem campo a novos problemas. Horizontes abertos descerram horizontes mais amplos. E, na arena da imensa luta, o Espírito é a obra-prima do Universo, em árduo burilamento.

* * *

O Criador não vive fora da Criação.

A criatura humana, contudo, ainda infinitamente distante da Luz Total, pode ser comparada ao aprendiz limitado aos exercícios da escola.

Cada civilização é precioso curso de experiências, e cada individualidade, segundo a justiça, deve estruturar a sua própria grandeza.

Examinando o livre-arbítrio que a Divina Lei nos faculta, consideremos que nós mesmos, imperfeitos quais somos, não furtamos, impunemente, uns dos outros, a liberdade de conhecer e realizar.

Pais responsáveis, não trancafiamos os filhos em urnas de afeto exclusivo com a desculpa de amor.

Professores honestos, não tomamos o lugar do discípulo, ofertando-lhe privilégios, a título de ternura.

Médicos idôneos, não exoneramos o enfermo dos arriscados processos da cirurgia, a pretexto de compaixão.

* * *

Recebe, pois, o quadro das provações aflitivas em que te encontras, como sendo o maior ensejo de crescimento e de elevação que a Bondade infinita, por agora, te pode dar.

Não te importe o materialismo a dementar-se no próprio caos.

Sabes que o homem não é planta sem raiz, nem barco à matroca.

Os que negam a Causa das Causas reajustam, para lá do sepulcro, visão e entendimento, emotividade e conceito.

Enquanto observas, no caminho, perturbação e sofrimento, à guisa de poeira e sucata em prodigiosa oficina, tranquiliza-te e espera, porquanto, aprendendo e servindo, sentirás em ti mesmo a presença do Pai.

82
Diante do tempo

*Reunião pública de 15/12/61,
1ª parte, capítulo 5, item 5*

Contempla o mundo a que voltaste, mediante a reencarnação, para resgatar o passado e construir o futuro.

Sol que brilha, nuvem que passa, vento que ondula, terra expectante, árvore erguida, fonte que corre, fruto que alimenta e flor que perfuma utilizam a riqueza das horas para servir.

Aproveita, igualmente, os minutos para fazeres o melhor.

* * *

Perdeste nobres aspirações em desenganos esmagadores; no entanto, as esperanças renascem no coração dilacerado à maneira de rosas sobre ruínas.

Perdeste créditos valiosos na insolvência passageira que te aflige o caminho; todavia, o trabalho dar-te-á recursos multiplicados para conquistas novas.

Perdeste felizes ocasiões de prosperidade e alegria à vista da calúnia com que te ferem, mas, no culto da tolerância, removerás a maledicência, demandando níveis mais altos.

Perdeste familiares queridos, que te largaram à solidão; no entanto, recuperá-los-ás tão logo consigas sazonar os frutos do entendimento na esfera da própria alma.

Perdeste afetos sublimes na fronteira da morte; todavia, reaverás todos eles um dia, quando te sentires de espírito libertado nos planos da Grande Luz.

Perdeste dons preciosos na enfermidade que te flagela, mas o próprio corpo físico é santuário que se refaz.

* * *

Observa, contudo, o que fazes do tempo e vale-te dele para instalar bondade e compreensão, discernimento e equilíbrio em ti mesmo, porque o dia que deixas passar vazio e inútil é, realmente, um tesouro perdido que não mais voltará.

Índice geral[1]

A

Aconselhamento
   sofrimento alheio e – 6
Adversidade
   fidelidade ao bem e – 17
   perdão e – 31
Aflição *ver também* Sofrimento, Dor
   ânimo na – 13
   causas anteriores da – 42
   merecimento e – 13
   origem da – 13
Alcoólatra
   bondade, simpatia e – 22
Além-Túmulo
   afazeres na vida física e – 34
   agentes do sofrimento e – 60
   beleza física e – 60
   bens terrenos e – 60
   egoísmo e – 60
   oradores e – 60
   paixões inferiores e – 32; 60
Alma
   enfermidades da – 48
Almas retas
   faltas e – 63
   fogo mental e – 63
Amanhã *ver também* Futuro
   diante do – 65
   tranquilidade e – 65
Amigo
   ajuda do – 44
   infiel – 14
Amor
   amigo verdadeiro e – 12
   criminosos e – 16
   desencarnados queridos e – 16
   Espíritos falíveis e – 7
   esposa abnegada e – 12
   expressão de – 57
   felicidade – 12
   homens maus e – 16
   infinito – 7
   leis do – 12
   oferta de * aos outros – 19
   sabedoria e – 20
Animal
   procedimentos de – 34
   reencarnação de – 34
Ânimo
   dificuldades e – 13
Anjo *ver* Espírito
Ano-luz
   grandeza da Criação e – 27
Arrependimento
   desencarnados e – 37
   emancipação e – 37

B

Beleza física
   vida Além-Túmulo e – 60
Bem
   compreensão do – 50
   conceito de – 54
   frases insultuosas e – 54
   imperfeição e pregação do – 59
   interpretações do – 54

---

[1] N.E.: Remete ao número do capítulo.

Índice geral

lei do – 54
pedradas na construção do – 54
preocupação e prática do – 32
sublimação e prática do – 32
Bem-aventurado *ver* Espírito feliz
Bem existencial
  natureza e – 41
Bem terreno
  acúmulo de – 41
  volta ao Mundo Espiritual e – 25; 60
Bom ladrão
  Jesus e – 51
Bondade
  extensão da – 46
Budismo
  invocações e – 56

C

Calamidade
  materialismo e – 73
Calúnia
  esquecimento e – 71
  incêndio no coração e – 47
  tolerância e – 82
Caridade
  amigos-problemas e – 57
  atraso na – 19
  colegas de trabalho e – 57
  encorajamento e – 8
  esforço próprio e – 8
  formas diversas de – 31
  hipocrisia e – 50
  oração e – 8
  pão do conhecimento e – 8
  parentes e – 57
  reconciliação e – 8
  renúncia e – 8; 9
  riqueza e – 8
  sacrifício e – 2
Castigo
  Mundo Espiritual e – 77
Causa e efeito
  livre-arbítrio e – 32

Censura
  desperdício público e – 50
Céu
  Allan Kardec e – 24
  começo do – 61
  Jesus e – 24
  parábola sobre – 61
  religiões e conceitos de – 24
Chineses
  Inferno e – 77
Cólera
  mente doente e – 6
Compaixão
  caminho da caridade e – 59
Compromisso
  escravização do – 4
  reencarnação e – 4
Compromisso anônimo
  atividades domésticas e – 53
  esposa alienada e – 53
  ocupações ignoradas e – 53
  pai intransigente e – 53
  solidão na tarefa e – 53
Concórdia
  retardo na – 19
Conhecimento
  doação do – 8
  uso indevido do – 2
Construção espiritual
  deserção e – 80
Cooperação
  anonimato e – 54
Corpo físico
  controle do pensamento e – 69
  injúria ao – 49
  reencarnação e – 42
Crença
  Allan Kardec e – 75
  tolerância e – 75
Criação
  ano-luz e grandeza da – 55
  objetivo da – 51
Criador
  manifestação das leis do – 51

Índice geral

Criança
  esperanças em flor – 18
  gesto edificante e – 2
  pérolas de luz – 18
Criminoso
  Allan Kardec e – 47
  amor para com – 16
  circunstância do crime e – 47
  insensibilidade do – 63
Cristianismo
  formação espírita e – 56
  invocações e – 56
Culpa
  julgamentos humanos e – 80
  reencarnação e – 11

D

Damião, apóstolo
  enfermos de Molokai e – 46
Delinquência
  compaixão, amparo e – 22
  vício e – 66
Demagogia
  desânimo e – 64
Desânimo
  demagogia e – 64
  pessimismo e – 64
Desculpa
  incompreensão e – 6
Desencarnação
  liberdade espiritual e – 70
  procedimentos ante a – 70
Desencarnado *ver também* Morto, Espírito
  ajuda do – 35
  arrependimento e – 37
  condição do – 59
  presença do – 35
  tortura do – 60
  trevas e – 60
Deserção
  tribulação e – 15
Destino
  leis do – 51
  livre-arbítrio e – 75

Deus
  amor, justiça e – 51
  cientistas, religiosos e – 81
  concepção de – 51
  lendas, tradições e – 51
  súplica e confiança em – 21
Dever
  humildade e – 20
  pensamentos e – 34
Dez mandamentos, Os
  não furtarás e – 3
Dia das mães
  oração para – 29
Dificuldade
  desafio e – 58
Disciplina
  missionários e – 20
Divergência
  harmonia e – 38
Doença *ver* Enfermidade
Dogmatismo
  terapêutica do tempo e – 75
Dor *ver* Aflição, Sofrimento
Dor moral
  enfermidade do corpo e – 66
Doutrina espírita *ver também* Espiritismo
  Céu e – 62
  evolução do ser e – 62
  Inferno e – 62
  infernos exteriores e – 77
  morte e – 62
  Providência Divina e – 62
  purgatório e – 62

E

Egípcio
  Inferno e – 77
Egoísmo
  amparo à infância e – 50
Enfermidade
  causas anteriores da – 42
  dor moral e – 66
  Espiritismo e – 5

Índice geral

paciência e – 42
revolta e – 66
Enfermidade espiritual
  compadecimento e – 48
  diagnose terrestre e – 48
  reencarnação regenerativa e – 48
  sanidade física e – 48
Ente querido
  adeus ao – 70
  morte de – 70; 82
Esclarecimento
  valor do – 2
Escola
  indução e – 73
Esperança
  palavras de – 35
Espírita
  preconceitos e – 75
  tabus e – 75
  temor da morte e – 62
Espiritismo
  Allan Kardec e – 56
  divagações estéreis e – Ante Allan Kardec
  embasamento do – Ante Allan Kardec
  enfermidade e – 5
  fé e – 5
  Justiça Divina e – 5
  libertação interior e – 27
  morte e – 5
  penas futuras e – 42
  práticas exóticas e – 27
  problemas domésticos e – 5
  valorização do – 5
  vida futura e – 5
Espírito *ver também* Desencarnado, Morto
  ajuda do – 35
  presença do – 35
Espírito amigo
  encontro com – 49
  Mundo Espiritual e – 49
  reencarnação e – 49
Espíritos bom
  lei do bem e – 32
  mediunidade e – 40

Espírito feliz
  amparo do – 28
  comportamento do – 28
  renúncia do – 28
Espírito imperfeito
  cometimentos infelizes e – 67
  falibilidade e – 67
  possibilidades do – 68
  pregação do bem e – 59
  tarefas nobres de – 68; 78
  Terra e – 59
Espírito mau
  interpretações religiosas e – 33
  regeneração do – 37
Espírito protetor
  encarnados – 76
  indiferença com o – 76
  trabalho dos – 10; 76
Espírito puro
  diante do – 68
Espírito transviado
  amor para com – 54
  Criador e – 64
  interesses inferiores e – 69
  reflexos dominantes e – 69
  tirania e – 69
Evolução espiritual *ver também* Progresso espiritual
  desafios da vida e – 26
  dificuldades e – 26
  livre-arbítrio e – 81
  problemas e – 81
  reencarnação e – 33
Expiação
  locais de – 77

F

Falecimento *ver* Desencarnação
Falta
  esquecimento da * alheia – 54
  remédios para corrigir – 6
Família
  apostolado da – 20
  resgate em – 14

Índice geral

Fé
  círculos da – 27
  demonstração de – 57
  desespero e – 16
  Espiritismo e – 5
  imortalidade e – 64
  responsabilidade e – 73
Felicidade
  conceito de – 41
  conquista da – 66
  glorificação e – 52
  verdadeira – 41; 54
Filho
  ingrato – 19
  sacrifícios dos pais e – 18
Flama espírita, A
  Justiça Divina e – Ante Allan Kardec, nota
Fogo mental
  almas retas e – 63
Fortuna *ver* Riqueza
Franqueza
  língua envenenada e – 6
Fraternidade
  conivência e – 27
  força da – Ante Allan Kardec
  tolerância e – 27
Frustração
  ânimo na – 13
Furto
  agressividade e – 3
  bens da alma e – 3
  conceito espírita de – 3
  confiança e – 3
  esperança e – 3
  patrimônio moral e – 3
Futuro
  diante do – 65
  impossibilidade de fuga do – 65
  prática do bem e – 32
  tranquilidade e – 65

G
Galáxia
  planeta Terra e – 55

Gandhi
  não violência e – 46
Gênio do mal *ver* Espírito mau
Governante
  críticas ao – 50
Gregos
  Inferno e – 77
Guerras
  consequências das – 52
  profecias e – 52

H
Hebreus
  Inferno e – 77
Heróis do passado
  veneração e – 57
Hindus
  Inferno e – 77
Hipocrisia
  prática da caridade e – 50
Homem
  deveres do – 34
Homem mau
  compreensão e – 16
  figurino moral e – 10
  julgamento e – 25
Homem público
  crítica destrutiva e – 22
Homenagem
  benfeitores espirituais e – 76
  benfeitores terrenos e – 76
  parcialidade nas – 76
Homem bom
  julgamento e – 25
Homem genial
  sofrimento e – 36
Humildade
  dever e – 20

I
Ilusão
  apego à – 65
Imortalidade
  fé e – 64

Índice geral

tribunais da – 80
vida útil e – 25
Incompreensão
  ânimo diante da – 13
Incredulidade
  abolição da – 73
Infância
  egoísmo e – 50
  socorro à – 50
Inferno
  chineses e – 77
  egípcios e – 77
  extinção do – 77
  gregos e – 77
  hebreus e – 77
  hindus e – 77
  origem do – 38; 61
  parábola sobre – 61
Inferno exterior
  doutrina espírita e – 77
Inquietação
  soluções para – 7
Intolerância
  falta grave e – 58
Inveja
  imunidade à – 71
Invocação
  Allan Kardec e – 56
  Budismo e – 56
  Cristianismo e –56
  Espiritismo e – 56
  Islamismo e – 56
  Moisaísmo e – 56
  opiniões sobre – 56
Islamismo
  invocações e – 56

J
Jesus
  céu e – 24
  companheiro de sofrimento e – 51
  conhecimento da verdade e – 75
  mundo de César e – 73
  prudência e – 79

reino de Deus e – 77
sofrimento e – 39
Justiça
  compaixão e – 79
  luz da – 80
  obras humanas e – 64
Justiça Divina
  auxílio constante e – 15
  céu e o inferno, O, e – Ante Allan Kardec, nota
  Espiritismo e – 5
  flama espírita, A, e – Ante Allan Kardec, nota
  grandes vultos da humanidade e – 36
  infalibilidade da – 80
  justiça humana e – 80
  misericórdia e – 1; 15
  Mundo Espiritual e – 45
  prática do bem – 26
  previdência e – 45
  Reformador e – Ante Allan Kardec, nota
  sofrimento e – 21

K
Kardec, Allan
  apóstolo da renovação – Ante Allan Kardec
  céu e – 24
  crença e – 75
  criminoso e – 47
  invocações e – 56
  Misericórdia Divina e – 79
  significado da obra de – Ante Allan Kardec

L
Lar
  tirania no – 50
Lar terreno
  lar divino da Criação – 18
Lei Divina
  conhecimento da * e tentação – 16
  serviço aviltante e – 78
Livre-arbítrio

causa e efeito e – 30
estágio evolutivo e – 30
evolução e – 81
exame do – 81
livro dos espíritos, O
  introdução de – Ante Allan Kardec
Loucura
  suposta fraqueza e – 80

M
Mãe
  sacrifício da – 12; 29
Mal
  alerta contra o – 64
  amor divino e – 7
  antídoto do – 71
  conceito de – 4
  consequências da prática do – 66
  transformação do * em bem – 4
Maldade
  consequências da – 21
Maledicência
  constrangimento e – 47
Malfeitor
  amor fraterno e – 22
Mártir
  inveja ao – 57
Materialismo
  calamidade e – 73
Médico
  ajuda do – 44
Mediunidade
  Espíritos bons e – 40
Mensageiro divino
  responsabilidades do – 68
Merecimento
  lei do – 36
  prática do bem e – 8
Misericórdia Divina
  Allan Kardec e – 79
Missionário
  disciplina e – 20
  renúncia e – 20
  sofrimento e – 20

Moisaísmo
  invocações e – 56
Morte
  afazeres na vida física e – 34
  conceito de – 72
  Doutrina Espírita e – 62
  entes queridos e – 70
  espíritas diante da – 62
  Espiritismo e – 5
  forma de vida depois da – 34
  oração e – 70
  ressurgimento e – 64
  revelações que faz a – 10
Morto *ver também* Desencarnado
  influência do – 72
  lembrança do – 72
  presença do – 72
  saudade do – 72
Mundo Espiritual
  arrependimento no – 49
  encontro de amigos no – 49
  frustrações no – 49
  sentimentos no retorno ao – 1
Mundo habitado
  variedade de – 55
Mundo superior
  diante do – 52
  Terra e – 52

N
Natureza
  contrassensos da – 74
  livro da – 78
Nightingale, Florence
  tarefas humildes e – 46

O
Ódio
  queda espiritual e – 9
Ofensa
  crises de ignorância e – 54
  intenção e – 6
  resultado da – 63
  tolerância e – 54

Índice geral

Omissão
    amigo necessitado e – 19
    sofredor e – 19
Ópio
    propriedades do – 78
Oração
    caridade e – 8
    Dia das mães e – 29
    homenagem à mulher e – 29
    resultados da – 39
    trabalho e – 39
Orador
    vida Além-Túmulo e – 60
Orgulho
    parábola do – 74
    queda espiritual e – 9
Otimismo
    renovação e – 64

P

Paciência
    momento de prova e – 59
Pais
    desencarnação dos – 80
    filhos ingratos e – 19
    renúncia dos – 12
    sucesso dos filhos e – 18
    vidas passadas e – 37
Paixão inferior
    vida Além-Túmulo e – 32
Paraíso
    lugar no – 55
Parente
    caridade e – 57
Paulo, São Vicente de
    tarefas humildes e – 46
Pena de morte
    pedido de – 50
Pena futura
    Espiritismo e – 42
    morte e – 45
Pensamento
    autoanálise e – 34
    corpo físico e controle do – 69

Perdão
    atraso no – 19
    desânimo e – 31
    Jesus e – 66
    problemas da vida e – 31
    reforma íntima e – 31
    sofrimento após o – 47
Perda
    esperança renascida e – 82
    finalidade da – 82
    trabalho renovador e – 82
Pessimismo
    alegria dos loucos e – 64
Poder
    uso indevido do – 2; 11
Prática do bem
    deserção da – 58
    merecimento e – 8
    nódoas do coração e – 58
Prática exótica
    estágio evolutivo e – 27
    religião e – 27
    respeito à – 27
    sinceridade na – 27
Preconceito
    espíritas e – 75
    fé e – 27
    perseguição e – 27
Pregação
    vivência e – 59; 73
Preguiça
    consequências da – 71
Previdência
    atividades humanas e – 45
    prática do bem e – 32
Problema
    teste ao equilíbrio e – 17
Problema doméstico
    Espiritismo e – 5
Professor
    ajuda do – 44
Progresso
    preço do – 43

Progresso espiritual *ver também* Evolução espiritual
   atuação da vontade e – 79
   desafios da vida e – 26
   dificuldades e – 26
   luta, sofrimento e – 55
   oportunidades para – 43
Projeção
   defeitos próprios e – 50
Prova *ver* Provação
Provação
   agradecimento pela – 1
   bênção da – 4
   bondade divina e – 81
   crescimento espiritual e – 81
   enfermidade – 11
   família e – 11
   humilhação e – 11
   prática do bem e – 26
   teste à sanidade – 17
Providência Divina
   ação e reação e – 38
   humanidade e – 40
   Natureza e – 40
   presença da – 44
   seres bestializados e – 38
   seres inferiores e – 40
   supostos privilégios e – 40
Purgatório
   vida física e – 57

Q
Queda espiritual
   ajuda aos que sofrem – 9
   ódio e – 9
   orgulho e – 9
   tolerância e – 9
   usura e – 9
Quitação *ver* Resgate

R
Reencarnação
   benefícios materiais e – 82
   bom combate e – 1
   compromisso e – 4
   corpo físico e – 42
   culpa e – 11
   enfermidade regenerativa e – 48
   erros do passado e – 37
   finalidade da – 37
   luta evolutiva e – 33
   purificação da consciência e – 67
   reajuste e – 16
   sofrimento e – 23
   súplica para – 49
Reformador
   Justiça Divina e – Ante Allan Kardec, nota
Reforma íntima
   procedimentos para – 31
Regeneração
   momentos de testemunho e – 43
Reino de Deus
   Jesus e – 77
Religião(ões)
   comprometimento político e – 73
   práticas exóticas e – 27
   religiosidade e – 73
   reverência às – 27
Renúncia
   caridade e – 8
   missionários e – 20
Repulsão
   erro alheio e – 22
Resgate
   amigos complicados e – 14
   credor, devedor e – 14
   família e – 14
   humildade e – 14
   inquietação na consciência e – 15
   problemas e – 14
   proporcionalidade do – 66
Resignação
   sofrimento e – 49
Revolta
   ofensa e – 59
Riqueza
   busca da – 2

Índice geral

caridade – 2
  mau uso da – 11
  renúncia à – 12

S

Sabedoria
  amor e – 20
Sacrifício
  caridade e – 8
Santidade
  demonstração de virtudes e – 2
Serviço *ver* Trabalho
Sexo
  uso indevido do – 11
Sofrimento *ver também* Aflição, Dor
  alegria e – 13
  alheio e caridade – 41
  causas pretéritas do – 23
  conflitos internacionais e – 52
  espiritual – 66
  função do – 17
  homens geniais e – 36
  missionários e – 20
  morte de entes queridos e – 35
  progresso espiritual e – 55
  radioterapia da alma e – 52
  reencarnação e – 23
  renúncia e – 15
  resignação e – 49
  sentido do – 66
  servir e – 71
  súplica a Deus e – 21
Solidão
  lembranças de Jesus e – 10

T

Tarefas humildes
  Florence Nightingale e – 46
  sublimação pelas – 46
  valor das – 20
  Vicente de Paulo e – 46
Tempo
  professor equilibrado – 58
  uso do – 2; 8; 43; 82

Tentação
  conhecimento da Lei Divina e – 16
Terra
  condição moral da – 33
  purgatório e – 62
Tolerância
  conivência e – 27
  erros alheios e – 22
  ofensas e – 54
  oração e – 22
Trabalho
  conceito de – 39
  mal e – 71
  oração e – 22; 39
  renovador – 71
  resultados do – 39
Tranquilidade
  fuga do erro e – 4
Transviado
  tolerância e – 7
Trevas
  desencarnados e – 60
  Misericórdia Divina e – 67
  vítimas das – 67
Tribulação
  conquista de fortaleza e – 58

U

Usura
  queda espiritual e – 9

V

Verdade
  Jesus e – 75
  liberdade e conhecimento da – 75
Verme
  utilidade do – 68
Viagem no tempo
  reencarnações e – 25
Vício
  delinquência e – 66
Vida
  escola da – 16
  Sabedoria Divina e – 17

Indice geral

Vida Além-Túmulo
   dúvidas sobre a – 35
   sofrimento na – 66
Vida futura
   Espiritismo e – 5
Vida terrena
   boas realizações e – 72
   emoções inferiores e – 10
   Espíritos protetores e – 10
   preocupações naturais da – 65
Vida útil
   imortalidade e – 25

Violência
   remorso e – 47
Virtude
   crueldade – 16
Vontade
   alavanca de luz – 17
   atuação da – 51
   progresso espiritual e – 79
Vultos da humanidade
   desencarnação de – 36

O QUE É ESPIRITISMO?

O Espiritismo é um conjunto de princípios e leis revelados por Espíritos Superiores ao educador francês Allan Kardec, que compilou o material em cinco obras que ficariam conhecidas posteriormente como a Codificação: *O livro dos espíritos*, *O livro dos médiuns*, *O evangelho segundo o espiritismo*, *O céu e o inferno* e *A gênese*.

Como uma nova ciência, o Espiritismo veio apresentar à Humanidade, com provas indiscutíveis, a existência e a natureza do Mundo Espiritual, além de suas relações com o mundo físico. A partir dessas evidências, o Mundo Espiritual deixa de ser algo sobrenatural e passa a ser considerado como inesgotável força da Natureza, fonte viva de inúmeros fenômenos até hoje incompreendidos e, por esse motivo, são tidos como fantasiosos e extraordinários.

Jesus Cristo ressaltou a relação entre homem e Espírito por várias vezes durante sua jornada na Terra, e talvez alguns de seus ensinamentos pareçam incompreensíveis ou sejam erroneamente interpretados por não se perceber essa associação. O Espiritismo surge então como uma chave, que esclarece e explica as palavras do Mestre.

A Doutrina Espírita revela novos e profundos conceitos sobre Deus, o Universo, a Humanidade, os Espíritos e as leis que regem a vida. Ela merece ser estudada, analisada e praticada todos os dias de nossa existência, pois o seu valioso conteúdo servirá de grande impulso à nossa evolução.

O LIVRO ESPÍRITA

Cada livro edificante é porta libertadora.

O livro espírita, entretanto, emancipa a alma nos fundamentos da vida.

O livro científico livra da incultura; o livro espírita livra da crueldade, para que os louros intelectuais não se desregrem na delinquência.

O livro filosófico livra do preconceito; o livro espírita livra da divagação delirante, a fim de que a elucidação não se converta em palavras inúteis.

O livro piedoso livra do desespero; o livro espírita livra da superstição, para que a fé não se abastarde em fanatismo.

O livro jurídico livra da injustiça; o livro espírita livra da parcialidade, a fim de que o direito não se faça instrumento da opressão.

O livro técnico livra da insipiência; o livro espírita livra da vaidade, para que a especialização não seja manejada em prejuízo dos outros.

O livro de agricultura livra do primitivismo; o livro espírita livra da ambição desvairada, a fim de que o trabalho da gleba não se envileça.

O livro de regras sociais livra da rudeza de trato; o livro espírita livra da irresponsabilidade que, muitas vezes, transfigura o lar em atormentado reduto de sofrimento.

O livro de consolo livra da aflição; o livro espírita livra do êxtase inerte, para que o reconforto não se acomode em preguiça.

O livro de informações livra do atraso; o livro espírita livra do tempo perdido, a fim de que a hora vazia não nos arraste à queda em dívidas escabrosas.

Amparemos o livro respeitável, que é luz de hoje; no entanto, auxiliemos e divulguemos, quanto nos seja possível, o livro espírita, que é luz de hoje, amanhã e sempre.

O livro nobre livra da ignorância, mas o livro espírita livra da ignorância e livra do mal.

Emmanuel[*]

---

[*] Página recebida pelo médium Francisco Cândido Xavier, em reunião pública da Comunhão Espírita Cristã, na noite de 25/2/1963, em Uberaba (MG), e transcrita em *Reformador*, abr. 1963, p. 9.

O EVANGELHO NO LAR

Quando o ensinamento do Mestre vibra entre quatro paredes de um templo doméstico, os pequeninos sacrifícios tecem a felicidade comum.[1]

Quando entendemos a importância do estudo do Evangelho de Jesus, como diretriz ao aprimoramento moral, compreendemos que o primeiro local para esse estudo e vivência de seus ensinos é o próprio lar.

É no reduto doméstico, assim como fazia Jesus, no lar que o acolhia, a casa de Pedro, que as primeiras lições do Evangelho devem ser lidas, sentidas e vivenciadas.

O espírita compreende que sua missão no mundo principia no reduto doméstico, em sua casa, por meio do estudo do Evangelho de Jesus no Lar.

Então, como fazer?

Converse com todos que residem com você sobre a importância desse estudo, para que, em família, possam compreender melhor os ensinamentos cristãos, a partir de um momento de união fraterna, que se desenvolverá de maneira harmônica e respeitosa. Explique que as reflexões conjuntas acerca do Evangelho permitirão manter o ambiente da casa espiritualmente saneado, por meio de sentimentos e pensamentos elevados, favorecendo a presença e a influência de Mensageiros do Bem; explique, também, que esse momento facilitará, em sua residência, a recepção do amparo espiritual, já que auxilia na manutenção de elevado padrão vibratório no ambiente e em cada um que ali vive.

Convide sua família, quem mora com você, para participar. Se mora sozinho, defina para você esse momento precioso de estudo e reflexões. Lembre-se de que, espiritualmente, sempre estamos acompanhados.

Escolha, na semana, um dia e horário em que todos possam estar presentes.

O tempo médio para a realização do Evangelho no Lar costuma ser de trinta minutos.

---

[1] XAVIER, Francisco Cândido. *Luz no lar*. Por Espíritos diversos. 12. ed., 7. imp. Brasília: FEB, 2018. Cap. 1.

As crianças são bem-vindas e, se houver visitantes em casa, eles também podem ser convidados a participar. Se não forem espíritas, apenas explique a eles a finalidade e importância daquele momento.

O seguinte roteiro pode ser utilizado como sugestão:

1. Preparação: Leitura de mensagem breve, sem comentários;
2. Início: Prece simples e espontânea;
3. Leitura: *O evangelho segundo o espiritismo* (um ou dois itens, por estudo, desde o prefácio);
4. Comentários: breves, com a participação dos presentes, evidenciando o ensino moral aplicado às situações do dia a dia;
5. Vibrações: pela fraternidade, paz e pelo equilíbrio entre os povos; pelos governantes; pela vivência do Evangelho de Jesus em todos os lares; pelo próprio lar;
6. Pedidos: por amigos, parentes, pessoas que estão necessitando de ajuda;
7. Encerramento: prece simples, sincera, agradecendo a Deus, a Jesus, aos amigos espirituais.

As seguintes obras podem ser utilizadas nesse momento tão especial:

- *O evangelho segundo o espiritismo*, como obra básica;
- *Caminho, verdade e vida; Pão nosso; Vinha de luz; Fonte viva; Agenda cristã.*

Esse momento no lar não se trata de reunião mediúnica e, portanto, qualquer ideia advinda pela via da intuição deve permanecer como comentário geral, a ser dito de maneira simples, no momento oportuno.

No estudo do Evangelho de Jesus no Lar, a fé e a perseverança são diretrizes ao aprimoramento moral de todos os envolvidos.

FEB editora
Livro espírita para um novo mundo
www.febeditora.com.br
@febeditoraoficial
@febeditora

Conselho Editorial:
Carlos Roberto Campetti
Cirne Ferreira de Araújo
Evandro Noleto Bezerra
Geraldo Campetti Sobrinho – Coord. Editorial
Jorge Godinho Barreto Nery – Presidente
Maria de Lourdes Pereira de Oliveira
Miriam Lúcia Herrera Masotti Dusi

Produção Editorial:
Elizabete de Jesus Moreira

Revisão:
Anna Cristina Rodrigues
Elizabete de Jesus Moreira

Capa:
Wallace Carvalho da Silva

Projeto Gráfico:
Rones José Silvano de Lima – instagram.com/bookebooks_designer

Diagramação:
Eward Bonasser Jr.

Foto de Capa:
http://www.shutterstock.com/gallery-467809p1.html

Normalização Técnica:
Biblioteca de Obras Raras e Documentos Patrimoniais do Livro

Esta edição foi impressa pela FM Impressos Personalizados LTDA., Barueri, SP, com tiragem de 1,2 mil exemplares, todos em formato fechado de 140x210 mm e com mancha de 104x107 mm. Os papéis utilizados foram o Off white bulk 58 g/m² para o miolo e o Cartão 250 g/m² para a capa. O texto principal foi composto em fonte Adobe Garamond Pro 12/15 e os títulos em Adobe Garamond Pro 28/30. Impresso no Brasil. *Presita en Brazilo.*